À d'Iberville Fortier

Commissaire aux Langues officielles

En souvenir d'un beau voyage en Espagne dans les années '50 !

Avec mon amitié continuelle

LE DOSSIER OUTAOUAIS

Jean Cimon

1130, de la Tour
Québec, QC
G1R 2W7
(418)524-0313

Diffusion: Éditions du Pélican, c.p. 1182
Québec, Qué. Canada G1K 7C3
(418) 692-0330

Jean Cimon

LE DOSSIER OUTAOUAIS

réflexions d'un urbaniste

Éditions du Pélican

La rédaction de cet ouvrage a été rendue possible grâce à la collaboration de l'Université du Québec à Hull et à une subvention de l'Office de planification et de développement du Québec et du ministère des Affaires culturelles.

Dépôt légal: Bibliothèque nationale du Québec,
2e trimestre 1979.

ISBN 2-89011-00-1

TABLE DES MATIÈRES

CHAPITRE 4 — L'ESPACE URBAIN: RÉFLEXIONS 119

INTRODUCTION

Cet ouvrage a pour but d'aider le lecteur à comprendre la réalité outaouaise. Comprendre, c'est prendre ensemble différents éléments que nous avons l'habitude de considérer séparément, alors que la recherche de leurs interactions peut apporter un éclairage nouveau. D'où le nom de dossier que j'ai donné à mon effort de compréhension.

Ces éléments de la réalité outaouaise, je les ai groupés autour de l'idée centrale d'habitabilité: c'est le leitmotiv qui réunit les chapitres disparates — en apparence — de mon ouvrage. L'habitabilité est un élément majeur et dynamique de la culture d'une ethnie sur un territoire donné. Dans le cas présent, il s'agit de la région de l'Outaouais francophone, en général, et de la conurbation d'Ottawa-Hull, en particulier.

Le Dossier Outaouais touche donc à des éléments sectoriels et parfois étrangers l'un à l'autre, mais qui acquièrent une singulière parenté, quand ils sont perçus comme des composantes de l'habitabilité d'une région: l'histoire et l'architecture comme mémoire de la ville, du village et du paysage; la densité du sentiment d'appartenance à un humus spirituel particulier; la culture comme respiration quotidienne d'un peuple; l'accessibilité aux rivières, aux lacs, aux forêts, aux parcs champêtres; la politique du logement et l'épanouissement collectif sur les plans de l'économie et de l'idéal.

Il existe dans l'Outaouais une géographie culturelle et linguistique qui chevauche les frontières de l'Ontario et du Québec. Il y a un Outaouais ontarien anglophone et francophone, comme il y a un Outaouais québécois francophone et anglophone. Enfin, l'Outaouais est le siège d'une capitale nationale (anglophone) et fédérale (bilingue).

Le Dossier Outaouais contient des documents qui sont reproduits en tout ou en partie, à cause de l'importance qu'ils occupent dans ma réflexion globale à partir de dossiers sectoriels comparés. J'ai choisi de me limiter aux extraits des documents publics que je connais et qui me paraissent les plus éclairants. D'autres textes significatifs ont pu m'échapper et je m'en excuse auprès de leurs auteurs.

Ce livre traite aussi de problèmes urbains qui ont un impact sur le problème culturel de l'Outaouais francophone. J'essaie de montrer l'interaction qui existe entre une communauté culturelle sur un territoire donné et le plan directeur d'urbanisme qui régit le développement physique de ce même territoire. En ce sens, la cohabitation de deux cultures sur un même territoire est un obstacle à l'énoncé d'une pensée urbanistique cohérente. Une agglomération urbaine à cheval sur deux provinces culturellement distinctes ne saurait être planifiée comme une ville monoculturelle, et c'est peut-être le reproche fondamental que l'on pourrait faire à la pensée urbanistique de la Commission de la capitale nationale.

Mon but n'était pas d'analyser la question de savoir comment administrer la région de la capitale nationale, mais plutôt de considérer les conditions d'habitabilité des communautés francophones au sein de l'agglomération urbaine d'Ottawa-Hull. C'est pourquoi je me suis borné à examiner le comportement d'un organisme fédéral comme la Commission de la capitale nationale (CCN) et les schémas d'aménagement du territoire de deux organismes régionaux: la Municipalité régionale d'Ottawa-Carleton (MROC) et la Communauté régionale de l'Outaouais (CRO), en fonction d'un concept d'habitabilité applicable aux communautés linguistiques de l'Outaouais.

Au-delà des questions constitutionnelles et purement urbanistiques qui compliquent singulièrement l'état de la question, c'est la dimension culturelle — au sens le plus large — de l'Outaouais francophone qui constitue l'essence de mon propos. Il s'agit de savoir si les schémas d'aménagement des organismes mentionnés plus haut reflètent cette dualité ethnique et linguistique de l'espace urbain et culturel de la capitale fédérale, dualité qui était reconnue, au départ, par l'urbaniste Jacques Gréber, dans son rapport général de 1950, intitulé *Projet d'aménagement de la capitale nationale*.

> «Ici apparaît la deuxième donnée impérative de notre problème: le territoire de la capitale est vivant; on a vu la croissance extraordinaire de son occupation démographique (. . .) Deux villes principales, Ottawa dans la province d'Ontario, et Hull dans la province de Québec; population

mixte, législations, systèmes d'enseignement différents, deux entités provinciales dont il importe de respecter le mode d'administration, les coutumes, le langage et les aspirations; loin d'être une difficulté dans notre travail, l'ensemble de ces données ne pouvait qu'en intensifier l'intérêt...»

Les textes présentés et mes réflexions corollaires seront sans doute jugés objectifs par les uns et subjectifs par les autres. Une chose est certaine: la situation de l'Outaouais francophone est dramatique. Entre 1971 et 1976, la population anglophone de l'agglomération de Hull a augmenté de 25%, alors que l'augmentation de la population francophone n'a été que de 16%. Le Gouvernement fédéral et la Commission de la capitale nationale ont réussi leur chirurgie plastique: imprimer dans l'esprit des anglophones d'Ottawa une *image bilingue* de l'agglomération urbaine du Hull, ce qui génère désormais une immigration croissante des Ontariens anglophones du côté québécois. Puisse ce dossier stimuler la réflexion du lecteur et l'amener à tirer ses propres conclusions.

Première partie:

Pièces versées au Dossier Outaouais

Chapitre 1

L'ESPACE URBAIN: DIAGNOSTICS

1.0 Présentation

L'Outaouais a la géographie difficile. Parler de l'Outaouais québécois comme d'une *région*, c'est une première ambiguïté; parler de l'agglomération urbaine de Hull-Gatineau comme d'une *capitale régionale*, c'est une deuxième ambiguïté; parler de Hull comme partie de la région de la *capitale nationale*, c'est une troisième ambiguïté; parler du *bilinguisme* dans la capitale fédérale, c'est une quatrième ambiguïté. On pourrait poursuivre cette litanie *ad nauseam*.

L'Outaouais québécois, c'est essentiellement une zone frontalière qui s'étire sur la rive gauche de la rivière des Outaouais face à une rive droite ontarienne polarisante et très majoritairement unilingue anglophone. La population de l'Outaouais québécois est saupoudrée sur les terres basses et étroites de la rive gauche de la grande rivière et cette occupation humaine linéaire s'étend sur une distance de 150 milles environ de Fort William à Montebello. À peine 25 pour cent de la population est dispersée dans les replis montagneux d'un *arrière-pays* plus théorique que réel, dont les deux seules petites villes, Maniwaki et Mont-Laurier, sont très faiblement polarisées par la ville de Hull. Enfin, la moitié de la main-d'oeuvre hulloise travaille *en anglais* à Ottawa, ce qui est une première aliénation que nous examinerons dans les chapitres sur l'espace culturel.

Le présent ouvrage est essentiellement un dossier sur l'urbanisme et le problème culturel en Outaouais québécois. Reproduire ici les rapports d'accompagnement des plans directeurs d'urbanisme de Jacques Gréber sur la capitale fédérale et sa ceinture verte (1950), de la Municipalité régionale d'Ottawa-Carleton (1974), de la Commission de la Capitale nationale (1974), de l'Office de planification et de développement du Québec (mars 1976) et de la Communauté régionale de l'Outaouais (mai 1976) eût allongé démesurément mon dossier; par contre, j'ai renoncé à présenter un résumé-synthèse de ces plans directeurs, car là encore, je risquais d'alourdir le texte et de manquer d'objectivité.

D'autre part, le présent dossier a été conçu à l'intention des non-spécialistes de l'urbanisme et je préfère inviter le lecteur intéressé à consulter directement les dits rapports d'accompagnement qui sont disponibles chez les organismes responsables de leur préparation ou dans les bibliothèques universitaires.

Cependant, il m'apparaît important de signaler au lecteur les documents suivants qui m'ont éclairé dans les sombres arcanes du Dossier Outaouais: sur l'anatomie, la physiologie et la puissance de la Commission de la Capitale nationale, rien de mieux que le livre-choc de Douglas Fullerton[1]; pour comprendre le concept d'aménagement de la Commission de la Capitale nationale, il est vital de savoir ce qu'en pense la Communauté régionale de l'Outaouais[2]; pour une visite dans les coulisses du schéma d'aménagement de la Regional Municipality of Ottawa-Carleton, suivez le guide Brian Bourns[3]; pour une présentation du schéma d'aménagement de la Communauté régionale de l'Outaouais devant un Comité mixte spécial du Sénat et de la Chambre des Communes[4]; pour une histoire de l'urbanisme à Lucerne — banlieue riche de Hull et paradis de la spéculation foncière — je vous conseille le texte percutant de Sarah Jennings[5].

Le texte de Douglas Fullerton sur la bureaucratie fédérale est essentiel pour comprendre la physiologie de cette industrie gigantesque qui est, de loin, le moteur principal du développement économique de la vallée de l'Outaouais, englobant le côté québécois jusqu'à Lachute. Cette Fonction publique d'Ottawa-Hull commande des salaires élevés dont les retombées profitent massivement à l'Outaouais ontarien en plus d'éroder continuellement l'identité culturelle de l'Outaouais québécois et de la minorité francophone d'Ottawa. Car tous les Outaouais non encore aliénés savent que le bilinguisme fédéral est un mythe et que les langues de travail de la Fonction publique à Ottawa et à Hull sont l'anglais et... l'anglais. Dans l'hypothèse de la souveraineté-association du Québec, on peut imaginer — sans rêver en couleur — les retombées économiques intéressantes pour l'Outaouais québécois, sans parler de la disparition magique de ce complexe de colonisé d'Ottawa et de mal aimé par

Québec, qui est la maladie secrète des Hullois, drame intime que Jean Messier évoquait lors d'une longue entrevue avec un journaliste du quotidien *Le Droit* d'Ottawa[6]. La condition sine qua non de réalisation de ce non-rêve en couleur, c'est, bien entendu, la volonté politique actualisée de l'État québécois — volonté vacillante et intermittente, même sous un gouvernement péquiste — de faire de la ville de Hull une capitale régionale privilégiée, à cause de son statut difficile de ville frontalière. C'est dans ce but que j'ai déjà suggéré de déménager Radio-Québec à Hull, ainsi que des ministères québécois comme ceux des Terres et Forêts et des Richesses naturelles. Parce qu'elles sont ravalées au rang de simples banlieues d'Ottawa, les villes-soeurs de Gatineau et Hull sont privées des nombreux emplois francophones que devraient normalement générer leurs populations additionnées. Dans le seul domaine des transports, par exemple, sait-on que l'agglomération urbaine Hull-Gatineau — 150,000 habitants, environ — est dépourvue d'aéroport, de gare d'autobus et de gare ferroviaire correspondant à l'importance numérique de sa population? A-t-on calculé tous les emplois que l'on pourrait rapatrier d'Ottawa à Hull, si le gouvernement du Québec se décidait à y implanter un hôpital complet, une université complète, un vrai plan directeur d'aménagement du territoire? Mais en 1968 (Rapport Dorion), comme en 1978, se pose la sempiternelle question: Québec est-il vraiment conscient de l'importance stratégique de l'Outaouais québécois? Les représentants politiques de l'Outaouais à l'Assemblée nationale du Québec sont-ils à la hauteur de la tâche à accomplir? Quant à la population, est-elle consciente de cette espèce de polygamie Ottawa-Québec qu'elle pratique avec une cuisse bilingue et un peu trop hospitalière?

Pour une excellente introduction à l'histoire méconnue de l'Outaouais, je ne saurais trop recommander au lecteur intéressé les mémoires de Philémon Wright[7] et les ouvrages de Guillaume Dunn[8]. Il y a, bien sûr, les livres classiques d'Arthur Buies[9], de Raoul Blanchard[10], de Douglas Fullerton[11], et les autres qui sont mentionnés dans le répertoire de Jean-Pierre St-Amour[12], où le chercheur trouvera, en plus d'un index des auteurs et des sujets, 1315 références bibliographiques sur l'Outaouais, commodément classées sous les thèmes suivants:

généralités, milieu physique, milieu humain, économie et gestion du milieu. En plus de la bibliographie sélective, le précieux guide de recherche de Jean-Pierre St-Amour contient dix cartes sur l'organisation administrative du territoire, ainsi que des informations multiples sur les organismes et les municipalités de l'Outaouais québécois.

1.1 Diagnostics récents sur la région de Hull

J'ai été lent à me rendre compte que les urbanistes qui avaient de la suite dans les idées, se heurtaient tôt ou tard aux hommes politiques, aux preneurs de décisions. En effet, la mise en oeuvre d'un plan directeur d'urbanisme doit procéder d'une volonté politique cohérente et continue qui est rarement présente, car les politiciens décident généralement de ne pas décider, afin de ménager la chèvre et le chou. Obsédés par le souci de conserver leur emploi ou d'être réélus, les preneurs de décisions se cramponnent à un statu quo maquillé qui leur laisse une marge considérable de manoeuvre en temps voulu. C'est ainsi que la planification et l'urbanisme au Canada et au Québec, ont presque toujours procédé d'improvisations plus ou moins heureuses.

Le cas de Hull est une illustration de l'absence chronique d'une volonté politique cohérente et continue de la part du Gouvernement du Québec. Voici une chronologie incomplète de quelques diagnostics qui ont été posés depuis dix ans, sur l'Outaouais québécois en général et sur la ville de Hull en particulier.

1.1.1 Le Rapport Dorion de 1968

En mai 1967, la Commission d'étude sur l'intégrité du territoire du Québec recevait de l'Assemblée nationale du Québec, un mandat spécial et prioritaire qui portait sur «le problème posé par l'existence de la *Commission de la capitale nationale (CCN)*, ses structures, ses pouvoirs et l'étendue de son territoire».

La Commission a fait un travail considérable groupé en sept volumes: rapport des commissaires, volume-synthèse, documentation géo-économique, juridique, cartographique et statistique, cartes réalisées par la Commission, deux études juridiques effectuées pour le compte de la Commission, texte intégral des mémoires soumis à la Commission et la liste de recommandations à partir de ces mémoires.

Ce rapport intitulé *Les problèmes de la région de la capitale canadienne* fut remis au Gouvernement du Québec en 1968, et il est à l'origine, semble-t-il, de la création, en 1970, de la *Communauté régionale de l'Outaouais (CRO)* et de la *Société d'aménagement de l'Outaouais (SAO)*.

Dans cette étude, mieux connue sous le nom de *Rapport Dorion* (du nom de son président Henri Dorion, avocat et géographe de Québec), on notait que la Commission de la capitale nationale possédait 100 milles carrés de territoires québécois dans la région de Hull, qu'elle dépossédait l'île de Hull de ses industries traditionnelles et qu'elle avait aménagé 6,000 acres de terrains industriels à Ottawa contre 400 à Hull.

Affirmant que la législation provinciale est inapplicable aux terrains appartenant à la Couronne fédérale, le rapport cite la jurisprudence suivante: Deeks McBridge Ltd C. Vancouver Associated Contractors, 1954, D.L.R. 844.

La Commission de la capitale nationale, lit-on dans ce rapport, «(...) dispose d'une compétence importante en matière d'urbanisme et de zonage, mais cette compétence lui est octroyée de façon indirecte par le biais d'un vaste pouvoir d'acquisition et d'expropriation de terrains doublé d'un pouvoir de surveillance sur l'emplacement et les plans des édifices érigés sur les terrains publics de la région».[13]

Cependant, nous ne partageons pas l'opinion exprimée dans ce rapport, à savoir que le problème linguistique de la région de Hull ne constitue pas une priorité.[14] Au contraire, Charles Castonguay[15] a démontré que les francophones de l'Outaouais étaient dangereusement bilingues et qu'on constatait un nombre significatif de transferts linguistiques vers l'anglais. Le cas de la ville d'Aylmer est probant avec un taux d'anglicisation de 15% chez les jeunes adultes de langue maternelle française.

Le meilleur moyen de ralentir — ou parfois de stopper — ce processus d'assimilation, c'est la concentration spatiale et socio-économique de la minorité. Par contre, cette concentration peut avoir pour effet de *marginaliser* ses membres et elle pourrait conduire à un climat de quasi-ghetto, lequel génère un sentiment douloureux de *non-appartenance* à la société majoritaire: ce fut le cas de la *basse-ville* francophone d'Ottawa que même l'élite francophone et voisine de *Sandy Hill*[16] semblait ignorer absolument.

Cependant, je trouve très juste cette opinion du Rapport Dorion, à savoir qu'il «(. . .) apparaît inacceptable que de grandes concessions soient faites par le Québec au chapitre de l'intégrité territoriale dans le but de permettre qu'une structure fédérale puisse garantir des droits linguistiques à une population vivant hors du Québec; le Québec n'aurait d'ailleurs dans ce cas, aucun contrôle sur la réalisation de cette garantie».[17]

Pour ne pas subir cette sensation traumatisante d'être un *marginal* dans sa propre ville, des milliers de francophones d'Ottawa, au cours des dernières années, sont passés en douceur du bilinguisme au transfert linguistique vers l'anglais et à l'assimilation irréversible. En exagérant à peine, on peut dire que ce cancer linguistique ronge déjà, de l'intérieur, cette Université d'Ottawa qui devait être le fer-de-lance des Franco-Ontariens, selon l'expression d'un ex-premier ministre anglophone de l'Ontario.

À plusieurs reprises, le Rapport Dorion constate que l'action de la Commission de la capitale nationale en territoire québécois a été néfaste à l'économie de la ville de Hull: «(. . .) Le retard industriel de la partie québécoise de la région de la capitale canadienne tient non seulement à des facteurs d'ordre géographique, mais aussi à l'action de la Commission de la capitale nationale dont les plans et les politiques ont agi dans le sens de la désindustrialisation de Hull au profit d'Ottawa. Dans une mesure différente, il en est de même quant au réseau de communication routière et ferroviaire qui a été développé par la Commission de la capitale nationale d'abord en fonction de la capitale».[18]

Plus loin dans le texte, le Rapport Dorion précise son diagnostic sur l'action de la Commission de la capitale nationale dans la région de Hull:

> «Il n'est pas question ici de mettre en doute la qualité des réalisations physiques de la Commission de la capitale nationale au chapitre des parcs et des promenades qui ont été réalisés dans la ville de Hull et ses environs. (. . .) Par ailleurs, l'action de la CCN a porté de façon efficace sur

une planification urbaine de l'espace ontarien en fonction d'une politique de promotion industrielle qui a été absente du côté du Québec. Cette dernière activité ne relève d'ailleurs pas directement des pouvoirs qui ont été dévolus à la CCN par la loi de 1958. Tant par le jeu d'expropriations successives en territoire québécois que par l'application d'une politique de relocalisation industrielle et d'établissement de parcs industriels du côté ontarien, la ville de Hull a subi un processus de désindustrialisation (...)»[19]

La raison d'être principale de la Commission du district fédéral — nom de l'organisme qui a précédé la Commission de la capitale nationale — c'était la mise en oeuvre du Plan Gréber de 1950 qui était essentiellement un plan d'embellissement ayant pour but de protéger et de mettre en valeur la beauté du paysage qui entoure la capitale et de promouvoir l'esthétique urbaine de la ville d'Ottawa. Cet aspect de l'urbanisme qui est aujourd'hui la responsabilité confiée à la Commission de la capitale nationale par le Gouvernement fédéral semble pleinement justifié. Enfin, le Rapport Dorion résume ainsi son diagnostic sur la situation politique de la région de Hull:

> «Il est évident que les *pouvoirs spéciaux* attribués à la CCN par la loi de 1958 en matière d'expropriation, doublés par le *pouvoir déclaratoire* du gouvernement fédéral confèrent à celui-ci et à la CCN, son mandataire, une marge d'action très large qu'amplifient d'ailleurs les grandes possibilités financières du gouvernement fédéral».[20]

C'est par la conjonction des pouvoirs généraux reconnus au gouvernement fédéral par la Constitution canadienne, des pouvoirs particuliers reconnus par la loi de 1958 à la CCN et de la complaisance des autorités gouvernementales du Québec que le gouvernement fédéral a progressivement créé ce que l'on peut presque appeler «un district fédéral de facto».

Ce rêve d'un district fédéral — à l'exemple de celui de Washington — n'est pas nouveau: il autait été caressé, semble-t-il, par le premier ministre Wilfrid Laurier, au début du siècle. Les données de la géographie font de Hull une ville frontalière fortement polarisée par Ottawa, la capitale, qui déborde aujourd'hui sur le territoire québécois de l'île de Hull. Or, en plus de son caractère frontalier, la ville de Hull est le terminus, à l'Ouest, du Québec de base, d'où son caractère périphérique. En effet, il n'y a plus de route directe entre Hull et le Nord-Ouest québécois (Témiscamingue et Abitibi); il faut passer par l'Ontario ou par Mont-Laurier. La ville de Hull est une capitale régionale périphérique et dépourvue d'un arrière-pays avec qui elle entretient des échanges dynamiques. En considérant la situation géo-politique de la région de Hull, on ne peut que déplorer l'absence totale d'une politique québécoise de transport ferroviaire et de transport aérien des personnes.

*1.1.2 La ville de Hull, vue par Claude Morin, en 1972**

Les résidents de la ville de Hull ont vu, pendant des années, se construire devant eux, l'autre côté de la rivière Outaouais, une ville moderne, aménagée selon un vaste plan d'urbanisme et obéissant à un dynamisme qui, pour être artificiel, n'en était pas moins remarquable. Ils comprirent que c'était dans la ville d'Ottawa que se construisaient les édifices impressionnants et que se traçaient les grandes avenues. À Hull, on avait peine à s'attaquer au problème de taudis et peu d'immeubles fédéraux importants y étaient bâtis. La ville d'Ottawa et sa banlieue du côté ontarien profitaient des dépenses fédérales de toutes sortes, tandis que Hull fournissait à l'administration fédérale son contingent de fonctionnaires moins bien payés, les plus hauts salariés vivant à Ottawa. Pourtant, surtout depuis la création de la Commission de la Capitale nationale, on avait compris qu'on développerait équitablement les deux rives de la rivière Outaouais. D'inévitables comparaisons entre ces deux rives s'établirent.

Sauf quelques promesses, quelques regrets et quelques gestes hésitants, le gouvernement du Québec manifesta jusqu'à ces dernières années une étrange indifférence envers une ville québécoise qui, par la force des choses, prit avec le temps de plus en plus figure de sous-région économique de la «métropole» fédérale. Le pôle de croissance qu'était devenue la ville

* Claude Morin, aujourd'hui Ministre des affaires intergouvernementales du Gouvernement du Québec, rédigea ce texte alors qu'il était professeur à l'École nationale d'administration publique de l'Université du Québec.

d'Ottawa avait en effet accru son emprise et son influence sur Hull. Aujourd'hui, Hull dépend plus que jamais du gouvernement fédéral, la principale et de loin la plus grande industrie de toute la région immédiate.

Le gouvernement central, de concert avec la ville d'Ottawa, s'était depuis longtemps habilement donné les moyens d'agir dans le territoire de Hull par cette institution fédérale qu'est la Commission de la Capitale Nationale (CCN). La Commission disposait des ressources financières et humaines voulues; elle agissait selon un plan à long terme visant à faire d'Ottawa et de Hull ainsi que de leurs territoires adjacents sinon un district fédéral en bonne et due forme, du moins une «région de la capitale canadienne» qui aurait en pratique joué ce rôle. L'intérêt de la Commission envers Hull n'a pas au départ été provoqué par un désir d'attribuer plus équitablement les fonds fédéraux aux deux villes touchées.

Bien au contraire, car dans les plans initiaux de la Commission qui furent suivis pendant des années, on ne visait pas tellement à développer Hull, mais plutôt à l'améliorer esthétiquement de sorte que cette nouvelle banlieue d'Ottawa en territoire québécois ne dépare pas trop le paysage de la capitale fédérale.

Quand le bilinguisme vint à la mode au gouvernement fédéral, en 1967-68, on résolut de faire de cette capitale un microcosme du Canada idéal tel que perçu par Ottawa. Il fallait donc, comme le dit une résolution de la conférence constitutionnelle de février 1969, que «les deux langues officielles et les valeurs culturelles communes à tous les Canadiens soient reconnues par tous les gouvernements concernés dans ces deux villes et dans la région de la capitale en général, de façon que tous les Canadiens puissent y trouver un sujet de fierté, d'appartenance et de participation». Pour arriver à un tel but, selon la même résolution, les villes d'Ottawa et de Hull et leurs environs devaient dorénavant constituer la région de la capitale canadienne. On prenait cependant soin d'indiquer que ni les frontières interprovinciales, ni les compétences constitutionnelles des gouvernements concernés ne seraient modifiées.

Cette précaution prenait racine dans le souci que le gouvernement du Québec commençait à manifester envers la notion d'intégrité du territoire. La Commission Dorion étudiait la question et ses travaux sur la région de la capitale nationale étaient très avancés.

Un comité Ottawa-Québec-Ontario avait été créé en 1967 à la suggestion du gouvernement fédéral qui voulait davantage associer le Québec et l'Ontario à la planification de toute la région, sans cependant (on le sut plus tard) modifier fondamentalement les règles du jeu. C'est à la suite des travaux préliminaires de ce comité que la résolution citée précédemment fut adoptée. Le comité poursuivit ses travaux jusqu'en septembre 1969. Il ne fut plus convoqué depuis. La raison en est la suivante: le Québec désirait la mise sur pied d'un organisme tripartite qui remplacerait la CCN, position en partie inspirée par les conclusions de la Commission Dorion. L'idée d'un tel organisme n'était à priori rejetée ni par le gouvernement fédéral, ni par l'Ontario. Les divergences de vues surgissaient toutefois dès qu'on essayait de définir les pouvoirs de l'organisme. Le Québec souhaitait que celui-ci ait de vastes pouvoirs; le gouvernement fédéral n'était pas du tout de cet avis et avait même laissé entendre qu'il n'envisageait nullement une diminution quelconque des prérogatives déjà reconnues à la CCN. Quant à l'Ontario, elle fut égale à elle-même: elle admit le bien-fondé de plusieurs des positions québécoises, mais n'était pas par ailleurs prête à laisser s'établir un mécanisme intergouvernemental qui risquait d'amoindrir sa part traditionnelle des dépenses fédérales dans la région. En conséquence, l'Ontario n'adopta pas une position très explicite, cherchant à éviter d'indisposer ses deux autres partenaires en la matière.

En septembre 1969, voulant faire avancer la discussion, les représentants québécois au comité Ottawa-Québec-Ontario avaient présenté un document de travail assez précis décrivant le fonctionnement de l'organisme qui remplacerait la CCN. Ce fut le seul document du genre fourni car, depuis quelque temps déjà, ni les représentants fédéraux ni ceux de l'Ontario ne démontraient beaucoup de créativité au sein du comité. Il n'y eut jamais de réaction officielle à ce document et, comme on l'a dit, le comité ne fut plus convoqué.

Mais le problème de Hull demeurait; il avait même pris une notoriété accrue à la suite de l'établissement du comité. On en parlait davantage dans la région et, dorénavant, le gouvernement québécois s'y intéressait ouvertement. À partir de ce moment, des fonds fédéraux plus abondants commencèrent à trouver leur chemin vers Hull. De vastes transformations de la ville furent envisagées et on évoqua publiquement la construction de nombreux immeubles destinés à l'administration fédérale. La CCN poursuivit sa politique d'achat de terrains du côté québécois, conformément à ses plans à long terme. On n'avait dorénavant plus besoin d'organisme tripartite formel pour rendre justice à Hull et pour l'intégrer dans la capitale fédérale. La CCN nouvelle vague s'en chargerait.

À Québec, où un nouveau gouvernement fut élu en avril 1970, on vit dans les dépenses fédérales annoncées une possibilité d'illustrer le «fédéralisme rentable». Il fallait aller chercher de l'argent à Ottawa, le plus possible, peu importait les conditions. On confia à un ministre d'État la tâche d'«y voir». Il va de soi que le comité Ottawa-Québec-Ontario ne fut pas ressuscité. Il ne semble pas qu'on s'en soit plaint ni à Ottawa, ni à Toronto.

À Hull, comme ailleurs au Québec, le problème de l'intégrité du territoire face aux initiatives fédérales demeure entier.[21]

*1.1.3 La ville de Hull, vue par Fernand Martin, en 1975**

La hiérarchie urbaine du Québec comprend six types d'agglomérations urbaines:

1) La grande métropole Montréal qui domine non pas dans le tertiaire en général, mais dans des domaines spécifiques (. . .)

2) Le groupe des six villes de la couronne de Montréal, dont le développement de la plupart d'entre elles est conditionné par Montréal. (. . .)

3)Les villes d'administration publique: Hull et Québec

4) Des villes minières à fonction régionale: Thetford Mines, Rouyn-Noranda, Val d'or, Sept-Îles. (. . .)

5) Des villes manufacturières légères et aussi à fonction régionale comme Sherbrooke, Chicoutimi, Trois-Rivières, Drummondville.

---

* Fernand Martin est professeur de science économique à l'Université de Montréal.

6) Des petites villes à fonction purement régionale comme Rimouski et Rivière-du-Loup. (. . .)

Ayant beaucoup parlé de Montréal, il convient maintenant de dire quelques mots sur la place des villes de Québec et de Hull dans le système urbain québécois. Cette place dépend de la philosophie du développement régional qui nous anime.

La ville de Hull (. . .) présente un réel problème d'intégration à la hiérarchie urbaine québécoise, parce qu'en fait elle est déjà fortement intégrée à Ottawa.

Dans le passé, elle avait une base économique autonome constituée de moulins à papier et de l'industrie du bois. Pour toutes sortes de raisons, cette base s'est dépréciée. Graduellement le fonctionnarisme fédéral a pris de l'ampleur. De sorte qu'aujourd'hui on peut caractériser cette ville par deux traits généraux:[22]

1) Une base économique manufacturière précaire. Concentration dans des activités en déclin relatif, absence de diversification et de réseau de relations interindustrielles. Tendances actuelles du secteur manufacturier peu reluisantes.

2) Forte dépendance sur Ottawa en ce qui concerne les services commerciaux et professionnels. Ottawa est la véritable place centrale de la région de Hull.

Le futur de Hull est intimement lié à celui d'Ottawa non seulement dans les faits, mais dans la planification.

À ce sujet on n'a qu'à consulter les travaux de la Commission de la Capitale Nationale. Bien plus, à moins d'une stratégie vigoureuse et originale de la part du gouvernement du Québec, la seule façon pour Hull de sortir de sa position inférieure est de s'intégrer complètement au schéma de la région de la capitale nationale. En effet, c'est le seul Plan qui lui promet expressément l'égalité. Il me semble qu'objectivement parlant le gouvernement du Québec ne pourra pas, avec sa stratégie actuelle lui offrir le standard de vie aussi élevé que lui promet une intégration avec Ottawa. Si cette tendance se matérialise, Hull deviendra un concurrent de Montréal justement dans certains établissements manufacturiers attirés par le tertiaire supérieur. Car il ne faut pas oublier que l'un des piliers de la stratégie de développement de la Commission de la Capitale Nationale est de profiter de son statut pour attirer les industries à haute technologie, les bureaux d'ingénieurs-conseil, les centres de recherche, etc.

D'un autre côté, la Commission de la Capitale Nationale tient à ce que Hull reste française. Le défi qui se pose au Québec est de permettre une certaine intégration de Hull à Ottawa tout en gardant des effets positifs pour le Québec, particulièrement pour Montréal.[23]

*1.1.4 Diagnostic du Groupe de travail sur l'urbanisation, en 1975, présidé par Claude Castonguay**

Traditionnellement, la ville de Hull jouait un rôle assez spécialisé dans le contexte économique de l'agglomération urbaine de l'Outaouais. Bâtie en bordure de cette rivière, son centre-ville se limitait à de modestes établissements commerciaux longeant la rue principale, dont la fonction était de desservir une clientèle plutôt locale que métropolitaine. Cette clientèle était constituée d'ouvriers trouvant leur emploi à la compagnie de papier Eddy, de fonctionnaires et de cols blancs à revenus modestes.

Les transformations qu'à récemment vécues le centre de cette ville sont surtout attribuables à des décisions du gouvernement fédéral, qui ont entraîné le déménagement des installations de la compagnie Eddy et la construction d'édifices du gouvernement fédéral. Ces décisions se sont inscrites dans le cadre d'une politique voulant donner corps à un district de la Capitale Nationale. Il faut également signaler que la construction de nouveaux ponts sur la rivière Outaouais a aussi stimulé le développement du côté de Hull.

Avant l'intervention du gouvernement fédéral, Hull était en somme une ville à fonction surtout régionale et ce caractère se reflétait dans l'allure de son centre-ville. Sa transformation en sous-centre administratif est nettement la conséquence d'une volonté politique plutôt que des pressions économiques comme telles, et il est incontestable qu'un certain progrès économique en a découlé. Cette transformation a provoqué la venue d'une population plus qualifiée et à meilleurs revenus, et en plus

---

* Claude Castonguay, actuaire-conseil, est un ancien ministre des affaires sociales dans le premier cabinet libéral de Robert Bourassa.

d'amenuiser les contrastes économiques entre Ottawa et Hull, elle a assuré une base financière plus solide à l'administration municipale, facilitant ainsi l'amélioration des services et des équipements institutionnels. En contrepartie, là comme ailleurs, une population de condition sociale modeste en a peu profité et a dû céder son logement et son lieu de vie au progrès.

Les interventions fédérales dans la région de Hull

Les interventions du gouvernement fédéral dans la région de Hull constituent un autre exemple du caractère très diversifié de ces interventions et de l'ampleur de leurs effets.

Dans le passé, Hull avait une base économique autonome axée dans une large mesure sur le bois et le papier. Pour toutes sortes de raisons, y compris l'intervention fédérale relativement au moulin de la compagnie Eddy, cette base s'est dépréciée depuis un certain nombre d'années. En contrepartie, le fonctionnarisme y a pris beaucoup d'ampleur. Sur le plan des services commerciaux et professionnels, Hull continue de demeurer en bonne partie dépendant d'Ottawa. Enfin, autre caractéristique qui doit être soulignée, le gouvernement fédéral est devenu au cours des dernières années le plus grand propriétaire terrien de la région: en 1972, il possédait 67 pour cent des terrains publics sur le territoire de la Communauté régionale de l'Outaouais et dans la seule ville de Hull, il possédait 2,000 acres comparativement à seulement 45 pour le Québec.

Le déclin de la base économique de Hull et de sa région immédiate et la présence sous diverses formes du gouvernement fédéral ont de fait eu un impact tel que l'on peut avec raison craindre que ce centre urbain devienne de moins en moins intégré au Québec.[24]

1.1.5 Hull et les futurologues de 1976

par Pierre-André Julien, Pierre Lamonde et Daniel Latouche

---

* Pierre-André Julien est professeur d'administration et d'économique à l'Université du Québec à Trois-Rivières; Pierre Lamonde est professeur-chercheur à l'Institut national de la recherche scientifique de l'Université du Québec; Daniel Latouche est professeur au Centre d'études canadiennes-françaises et au Département de science politique de l'Université McGill.

Huit années après la publication du Rapport Dorion, paraissait un essai de futurologie sur le Québec, dans lequel on retrouve un diagnostic inchangé sur la ville de Hull. Faut-il désespérer de Québec?

«Considérons brièvement le cas de Hull qui se trouve parmi le groupe des cinq agglomérations urbaines dont la part relative dans la population totale du Québec va augmenter d'ici 2001. Mais cette croissance démographique est due au rattachement de plus en plus serré de cette ville à la Capitale nationale. On sait que le gouvernement fédéral vise à localiser à Hull plus du quart de la fonction publique outaouaise dans les 10 prochaines années. On sait aussi que la Commission de la Capitale nationale possède déjà une proportion importante du territoire hullois. Enfin, il faut souligner que cette Commission, par un zonage, une planification du développement et une stratégie de rénovation urbaine, exerce un grand contrôle sur toute la vie de Hull, transformant rapidement celle-ci du statut de métropole régionale assez autonome économiquement qu'elle avait, à celui d'une sorte de satellite d'Ottawa.

«Au plan culturel, démographique et économique, cette annexion aura des conséquences graves pour le Québec. Or que fait Québec? Rien qui soit de nature à contrer cette mainmise sur une partie importante du territoire».[25]

*1.2 L'ampleur et le taux de croissance de la bureaucratie fédérale**

par Douglas H. Fullerton

1.2.1 Le taux de croissance

À quel rythme le gouvernement s'accroît-il? Ce qu'il y a d'étonnant dans cette question, c'est qu'il est bien difficile d'y répondre. Nous ne voulons pas dire par là que le gouvernement cache délibérément les chiffres, mais plutôt qu'il fait face aux problèmes suivants: (i) celui de définir ce qu'est un employé du gouvernement (employés permanents, occasionnels, temporaires, engagés aux termes d'un contrat, militaires, membres de la

* extrait de: Douglas H. Fullerton: *La capitale du Canada: Comment l'administrer?* Information Canada, Ottawa, 1974, vol.1, pp. 159-162 et 167.

GRC, etc); (ii) celui de déterminer les chiffres exacts à une date précise, et (iii) celui de s'assurer que tous les ministères, organismes, commissions, offices, tribunaux, centres, cours, laboratoires, instituts, conseils, directions, divisions et secrétariats, et ils sont légion, sont inclus dans le calcul.

Officiellement, d'après les chiffres de «L'emploi dans l'administration publique fédérale», que publie Statistique Canada, il y avait, dans la région de la Capitale nationale, 57,591 employés en 1970, 65,928 en 1971 et 70,293 en 1972. (En 1951, ce chiffre était de 30,069 et, en 1961, de 46,095). Ces totaux ne comprennent cependant que «les ministères et organismes désignés aux annexes A et B de la Loi sur l'administration financière». Cela exclut les employés des corporations de mandataires et de propriétaires et d'autres organismes et sociétés, tels les Forces armées, la Banque du Canada, la Monnaie, etc. La division centrale de renseignements sur le personnel (du ministère des Approvisionnements et Services) dispose d'autres renseignements. Toutefois, il manque de nombreuses données, et la CCN a mené une enquête afin d'obtenir une liste aussi complète que possible aux fins, surtout, de la planification des transports. Bien qu'elle estime que ses résultats sont encore incomplets, ceux-ci indiquent qu'à la fin de l'été de 1973, le nombre était d'environ 94,000, soit une augmentation de huit pour cent par rapport au mois de septembre de l'année précédente.

Les prévisions budgétaires du gouvernement fédéral pour 1974-1975 nous fournissent des données témoins. Elles énumèrent 415,000 années-hommes et signalent plus loin que «quelque 75 pour cent des employés du gouvernement fédéral travaillent à l'extérieur de la région de la Capitale nationale». Nous sommes donc enclins à croire que le chiffre de 100,000 représente une évaluation raisonnable du nombre des employés fédéraux dans la région de la Capitale nationale en 1974.

Bien qu'il indique clairement l'importance du gouvernement fédéral à titre de principal employeur dans la région, le nombre absolu n'est pas aussi important que le taux de croissance. Si l'on se fonde sur les données précitées de Statistique Canada, le taux annuel de croissance de l'emploi dans l'administration fédérale dans la région de la Capitale nationale, de 1970 à 1972, a été de 10.5 pour cent. Pour l'ensemble du

Canada, ce taux était de 3.1 pour cent. Certaines autorités gouvernementales estiment que ces deux taux de croissance sont anormalement élevés et qu'il s'agit là de l'effet à retardement des mesures d'austérité de 1969-1970. Le taux de croissance de 1962 à 1972, dans la région de la Capitale nationale, est d'un peu plus de trois pour cent, et il semble que ce chiffre convienne davantage à des projections à long terme pour les optimistes du moins.

Le taux de croissance peut aussi être calculé au moyen des prévisions budgétaires générales du gouvernement fédéral pour 1974-1975; on y constate que le nombre d'employés pour l'ensemble du Canada («effectif constant projeté») est passé de 270,904 en mars 1973, à quelque 288,506 en mars 1974, et que, selon les prévisions, il sera de 304,295 au 31 mars 1975. De 1973 à 1974 l'augmentation est de 6.4 pour cent et, de 1974 à 1975, elle est de 5.5 pour cent, bien qu'il soit difficile de prédire quel sera l'effet des budgets supplémentaires sur ce dernier taux. On a lieu de supposer que ces chiffres englobent les membres de la fonction publique et les employés des organismes fédéraux, mais qu'ils excluent le personnel militaire et les membres de la GRC. Même si l'on retient comme base le chiffre le plus bas, soit le taux de trois pour cent mentionné plus haut, on peut s'attendre que l'emploi dans l'administration fédérale dans la Capitale aura doublé d'ici à la fin du siècle.

Les données du ministère des Travaux publics relatives à l'espace à bureaux confirment encore la croissance des dernières années dans le secteur de l'emploi. La superficie des locaux loués ou appartenant à la Couronne que le ministère des Travaux publics fournit aux ministères et aux organismes (certains de ces derniers, tels que la Banque du Canada, disposent de leurs propres locaux) est passée d'environ 10 millions de pieds carrés en 1969-1970 à près de 16 millions de pieds carrés en 1973-1974, ce qui représente une augmentation de presque 60 pour cent en quatre ans. Comme la nouvelle moyenne d'espace accordée à chaque employé est de 225 pieds carrés, on peut conclure qu'environ 25,000 nouveaux employés sont venus accroître les effectifs de la fonction publique fédérale au cours de cette période de quatre ans (quoique une partie de l'augmentation puisse être attribuable à l'amélioration de la qualité et à l'agrandissement des locaux fournis aux fonctionnaires qui ont quitté de vieux édifices pour emménager dans de nouveaux immeubles).

1.2.2 Les conséquences de la croissance pour la région

La demande d'espace à bureaux signifie évidemment, pour la Capitale, la création d'un grand nombre d'emplois dans l'industrie de la construction. La même chose se produit dans le secteur de l'habitation; le tableau qui suit révèle que le nombre de logements mis en chantier dans la région d'Ottawa-Hull s'est accru beaucoup plus rapidement que dans toute autre ville canadienne.

Tableau 11-1

NOMBRE DE LOGEMENTS MIS EN CHANTIER DANS LES PRINCIPALES AGGLOMÉRATIONS URBAINES DU CANADA
Année civile 1973

	Logements mis en chantier en 1973	Population, Recencement de 1971 (milliers)	Nombre de mises en chantier en 1973 par 100 habitants en 1971	Valeur en millions de dollars
Ottawa-Hull	15,511	602	2.57	$ 273
Halifax	4,181	223	1.87	68
Hamilton	8,708	499	1.74	146
Calgary	6,981	403	1.73	115
Vancouver	17,334	1,082	1.60	344
Edmonton	7,384	496	1.48	140
Toronto	37,697	2,628	1.43	1,062
Winnipeg	7,698	540	1.42	99
Montréal	30,700	2,743	1.11	406
Québec	4,648	481	.96	70
Windsor	2,033	259	.69	47

Source: Statistique Canada — *Logements mis en chantier et achevés,* décembre 1973, *Permis de construire,* décembre 1973, *Recensement du Canada de 1971* — Chiffres définitifs sur les régions métropolitaines de recensement par municipalité (en 1971).

En dépit de cette hausse vertigineuse du nombre des habitations mises en chantier, le prix des maisons a grimpé rapidement dans la Capitale. Le prix d'une maison a augmenté, en moyenne, d'environ 25 pour cent en 1973, tandis que le prix de plusieurs autres maisons a doublé en trois ou quatre ans. Cet état de choses profite peut-être aux propriétaires d'habitations, mais impose des conditions d'achat plus difficiles aux futurs propriétaires. Nous croyons toutefois que cette ruée vers l'achat de maisons ne résulte pas uniquement de l'arrivée de nouveaux employés fédéraux dans la Capitale (certains disent même que la rareté et le prix élevé des logements nuisent au recrutement de personnel du gouvernement), mais elle vient aussi de la constatation simultanée d'un grand nombre de personnes qu'une maison constitue l'un des meilleurs boucliers contre l'inflation.

Bien entendu, la construction de nouveaux logements et d'autres immeubles a eu ses répercussions sur les services que doivent assurer les municipalités: il a fallu plus de nouveaux lotissements, plus de rues, plus d'égoûts, plus de conduites d'aqueduc, plus d'autobus. Ce fut surtout le cas du côté québécois, d'abord parce que des programmes fédéraux-provinciaux d'aménagement d'égoûts et de routes, dont le besoin se faisait sentir depuis longtemps, ont accru les dépenses, et ensuite parce que le coût moins élevé des terrains y a stimulé la construction domiciliaire. Les municipalités ont éprouvé des difficultés à répondre à ces besoins, tant du côté québécois que du côté ontarien, en dépit des contributions versées par le gouvernement fédéral par l'entremise de la CCN, et c'est peut-être là, en partie du moins, la raison de la montée en flèche du nombre des employés municipaux et des dépenses dont il est fait mention au chapitre 7. (...)

1.2.3. Conclusions

Si les obstacles à une décentralisation efficace de certains services fédéraux paraissent non négligeables, ses avantages seraient aussi considérables. L'un de ceux-ci serait, de toute évidence, le ralentissement du taux de croissance de la Capitale. Un autre avantage serait l'accélération de la croissance dans des régions moins développées ayant besoin d'un stimulant. Si l'on tient compte des sommes dépensées pour chaque emploi créé pour persuader l'industrie de s'implanter dans ces régions, qu'on évalue à $5,000 par emploi créé, on peut se dire que les avantages économiques qu'on en retirerait probablement sont mesurables et même importants. La présence du gouvernement fédéral serait mieux répartie dans l'ensemble du pays. Le personnel de l'administration centrale aurait l'occasion de mieux apprécier la réalité telle qu'elle se présente à l'extérieur de la région. En outre, une telle politique représente une initiative rentable politiquement; le déménagement de la Monnaie royale du Canada (ou d'une partie de celle-ci) à Winnipeg a été généralement bien accueilli par la presse du pays, de même que les projets relatifs à la décentralisation du MEER.

En résumé, si je suis quelque peu sceptique quant à la capacité de décentralisation du gouvernement fédéral, je ne doute pas du tout de la nécessité d'un ralentissement de la croissance de la fonction publique fédérale dans la Capitale et d'une diminution de ses effectifs par rapport aux emplois non-fédéraux. Le gouvernement fédéral se développe à une allure extraordinaire et il semble se centraliser de plus en plus. Voilà qui favorise un isolement malsain de l'administration centrale par rapport aux Canadiens et aggrave les problèmes de croissance de la Capitale dont nous venons de faire mention.

Je n'ai qu'effleuré la surface de cette question et c'est là-dessus que je terminerai ce chapitre. Je soutiens que la décentralisation fédérale est un principe qui se défend et qu'il s'agit là d'une question importante. Je ne peux qu'engager le gouvernement fédéral à l'étudier davantage au triple point de vue de l'intérêt de la Capitale, de l'unité nationale et de sa propre efficacité.

*1.3 Politicians share in land profits**

by Guy Le Cavalier

Ce document nous conduit dans les arcanes obscurs de l'urbanisme en Outaouais. Encore qu'il ne mette à jour que la partie

* Cet article est extrait de *City Magazine*, Toronto, Vol. 1, No. 4, 1975; depuis la parution de cet article, Lucerne a été fusionnée avec Aylmer. La note préliminaire et les parenthèses en français dans le texte sont de Jean Cimon.

émergée de l'iceberg, ce document révèle aux non-initiés l'ambiguïté de l'urbanisme et la pollution inquiétante de nos moeurs politiques. Depuis l'élection québécoise du 15 novembre 1976, le Gouvernement du Québec n'a pas encore entrepris l'enquête complète qui s'impose dans cette ténébreuse affaire.

> In mid-December (de 1974), during a debate in the Québec National Assembly on the bill on reorganization of municipal government in the Outaouais area, Marcel Léger, Parti québécois member for Montréal-Lafontaine, revealed details of extensive land speculation in Lucerne (banlieue bourgeoise de la ville de Hull) which involved some potential conflicts of interest of politicians of several levels. Lucerne is located next door to Hull in the Outaouais regional district.
>
> Léger accused several Liberals of being involved in this land speculation. He named federal Minister of Supply and Services Jean-Pierre Goyer and some local Liberal organizers and highly placed public administrators: Messrs. Marcel Beaudry, Maurice Marois, Fernand Philips, and Édouard and Pierre Bourque. The latter were, by the way, directly involved in another scandal, the Dasken affair.
>
> Léger claimed that Jean-Pierre Goyer had sold for the amazing amount of $8-million land in Lucerne for which he had previously paid $400,000. Léger asked the Québec minister of municipal affairs, Dr. Victor C. Goldbloom, if he was aware that such transactions were undertaken mainly by Liberal organizers who were, at the same time, promoting the reorganization of the Outaouais territory in a way that could make these transactions even more profitable. Dr. Goldbloom said he was unaware of the transactions and did not know to whom these lands belonged. He promised an inquiry if Léger could provide the facts in writing. Léger promised to do so.
>
> Meanwhile, federal minister Goyer categorically denied the accusations. "I don't only deny these charges", he said during a phone conversation with a representative of the Canadian Press, "but I defy him to prove them". "Personaly", he added, "I find Mr. Léger's charges dishonest and libellous, and I believe that he should prove them right away or deny them and make public excuses".

Léger proceeded to provide the facts in writing to the minister of municipal affairs, as promised. And the latter kept his word in calling for an inquiry.

Before the emissaries responsible for Goldbloom's inquiry could reach Hull, *Le Droit*, Ottawa-Hull's French-language daily, carried out its own inquiry from public records on land transactions in Lucerne. This investigation also found the names of Liberal organizers mentioned by Léger as being involved in these transactions. Other names were added to Léger's list, and many transactions documented. Major land value increases had occured in a few years, sometimes in a few months. Most of the time, these increases were not related to any construction on the land. And Liberal party members had made enormous profits in the transactions.

The two brothers, Édouard and Pierre Bourque, for example, sold for $1,875,520 in 1974 land which they had purchased at $375,000 the previous year. The brothers had also bought a 40-acre parcel in 1972 for $80,000 and sold it two years later for $475,000.

Two other men named by Léger, Maurice Marois and Fernand Philips, both highly placed members of the Outaouais Development Corp. (Société d'aménagement de l'Outaouais), were also found to be involved in land speculation. Marois' property increased in price from $142,000 to $1,282,608 in three years. Philips did not do so well, receiving an increase only from $210,000 to $375,000. Antoine Grégoire, président of the corporation (c'est-à-dire de la Société d'aménagement de l'Outaouais) said that the transactions were made before the two men became members. However, Philips is presently a shareholder of many enterprises, including the Gatineau Westgate, a society still heavily involved in Lucerne land speculation; Mr. Marois is the president of Investments Mirage Inc., also involved in such transactions during 1974.

According to *Le Droit*, the land speculation in Lucerne permitted 20 speculators to realize a profit of nine million dollars on 2,000 acres between 1970 and 1974. Excluded from the "preliminary" investigation carried out by *Le Droit* were all the farms that were divided and sold into acre lots for prices ranging from $1,500 to $10,000. According to newspaper estimates, the profits varied between 200 per cent and 1,000 per cent in most transactions. The actual average profit on the 2,000 acres examined was no less than 400 per cent.

Holding costs for land held by speculators are minimal, due to outdated assessments and tax concessions aimed at retaining farming in the region. According to the director of land assessment for the Outaouais Regional Community, Roland St-Cyr, the real estate taxation has not kept up with the land market trend, as the last assessment (on which taxes are based), was carried out in 1971.

In terms of dollars, for instance, one lot in Lucerne was sold three times in four years: first to $26,000; then $185,000, and $420,000 in September 1974. Its assessment for municipal taxation remained at $30,625 through this period.

On top of this gap between the actual (though speculative) value of the land and its official assessment value, a speculator in Québec can save on taxes by renting his land to a farmer. In Québec, this means a reduction of 40 per cent on municipal taxes and 35 per cent on school taxes, with a maximum payment of 1 per cent of the roll value or $150 per acre.

The official inquiry called by Goldbloom started in late January. This investigation was, in fact, a preliminary — and may be also final — examination. The two emissaries sent to Hull had been directed to discover whether a thorough study was necessary. Their task was to get a general idea about the situation and to determine whether or not some cases of conflict of interest existed. This process was expected to last several weeks and consisted of compiling documentation on land transactions in the Outaouais region, especially in Lucerne. It included checking various local officials. By the end of March, a report of their finding was to be presented to another group of experts and to Dr. Goldbloom who would decide whether or not to pursue the matter. In fact, their mission lasted three weeks and was completed in mid-February. Their report, presented to Dr. Goldbloom, has not yet been released.

The two ministry representatives were not given the power to force area notaries to reveal information. Consequently, they could not find out who was involved under the cover of "in trust" and "in fiducie", which means that a large proportion of the transactions were not accessible to them. Their investigation was practically limited to what *Le Droit* had already found out.

Whatever the outcome of the investigation, however. the results of the speculation, itself are quite clear. Development in the Outaouais area will be speeded up by the adoption last December of the bill reorganizing local government by replacing 32 original municipalities with eight new ones. Also expected in the near future is annexation of a portion of Lucerne to Hull. Lucerne is the area where most of the speculative transactions occured. There seems little doubt that this land will turn out to be directly in the path of Hull's development.

Gilles Paquin, the reporter who carried out most of the *Le Droit* investigation, believes that this speculation will inevitably force up the cost of housing in the area. It is making land so expensive that many residents will only be able to afford to live in high-rise apartments. And area residents will find that their local governments are paying very high prices for the land required for schools, housing for the aged, and low rental housing projects.

The facts brought to light, however, demonstrate how people involved in the ruling Liberal party, from a federal cabinet minister on down, are themselves implicated in forcing up the cost of land by their land speculation activities.

1.4 Diagnostic sur le logement à Hull

1.4.1 Histoire de la rénovation urbaine

Le facteur déterminant qui a déclenché tout le processus de la rénovation urbaine à Hull, ce fut la décision du gouvernement fédéral, en 1969, de s'établir massivement (prévision de 20,000 fonctionnaires nouveaux) dans le centre-ville de Hull.[26]

Mais, en fait, l'histoire de la rénovation urbaine commence dix ans plus tôt, c'est-à-dire en 1959, quand la Chambre de commerce de Hull publie un *Mémoire au Conseil municipal sur la préparation d'un plan directeur*, dans lequel la Chambre demande des édifices fédéraux à Hull et la suppression des taudis. En 1962, la Ville de Hull présente au gouvernement fédéral un *Mémoire en faveur de la construction d'édifices fédéraux dans la ville de Hull*.

«Mais pourquoi, se demande Serge Bordeleau, la Ville de Hull désirait-elle à ce point ces édifices fédéraux? Il s'agissait d'un enjeu d'ordre essentiellement économique. (. . .) La venue du fédéral, en plus de permettre à la ville de faire de la rénovation urbaine sans que cela lui en coûte trop, constituerait une source de revenus appréciable, car la municipalité percevrait des impôts fonciers sur les bâtiments. Dans la perspective de la municipalité, ces impôts compenseraient en quelque sorte les sommes perdues à cause des nombreux parcs détenus par la Commission de la capitale nationale sur le territoire hullois.»[27]

En 1964, la Chambre de commerce de Hull revient à la charge avec un *Mémoire sur la nécessité d'un regain industriel à Hull*. La construction d'édifices fédéraux, selon ce mémoire, aura des effets d'entraînement qui stimuleront l'économie du côté québécois de la région de la capitale fédérale. Ainsi, la Chambre considérait les édifices fédéraux comme un genre d'industrie, ce qui est effectivement le cas. Quant au commerce de détail dans la ville de Hull, il souffre depuis longtemps d'une double concurrence ontarienne: premièrement, les magasins d'Ottawa sont plus nombreux, plus gros, plus attrayants et les autobus hullois vous déposent à la porte de plusieurs des dits magasins; deuxièmement, la taxe de vente est moins élevée en Ontario qu'au Québec et il est possible de ne payer aucune taxe de vente si vous faites livrer la marchandise à Hull. Ce qui explique la situation désestreuse du commerce à Hull, où les ventes per capita, en 1966, étaient de $990.00, alors qu'elles s'élevaient à $1,780.00 à Chicoutimi[28]. «Les malheurs des marchands, écrit Serge Bordeleau, se répercutaient (. . .) directement sur les revenus de la ville. L'évasion de la clientèle hulloise entraînait une perte de revenus estimée à $885,000.00 (en 1968) en ristourne sur la taxe de vente. Cette ristourne constitue une importante source de revenus pour la plupart des municipalités québécoises».[29]

En 1967, la Chambre de commerce de Hull présente un mémoire à la Commission Dorion, où il est encore question de rénovation urbaine:

«Notre cité est presque dans l'enceinte du Parlement; quoi de plus normal qu'on l'utilise à bon escient . . . Ce serait solutionner en partie notre rénovation urbaine et les gens de Hull accepteraient facilement ce sacrifice, car le mépris qu'ils subissent présentement sous ce rapport est beaucoup plus dur à supporter.»[30]

Ce mépris que subissent les gens de Hull, un urbaniste y faisait allusion, en 1963, quand il écrivait que «(. . .) généralement, la classe professionnelle et cultivée de la population canadienne-française de la capitale nationale n'élit pas domicile à Hull. En augmentant le nombre de tenants de cette classe, on pourrait relever le niveau économique, hausser le statut social et surtout, accroître l'esprit d'initiative.»[31]

La rénovation urbaine prônée par la Ville de Hull, c'est-à-dire la rentabilisation de l'espace, devait se faire au détriment des classes populaires de l'île de Hull. En effet, en remplaçant les zones détériorées ou non, par des édifices fédéraux gigantesques, on amorçait un processus contagieux de plus-value foncière.

En guise de conclusion, on peut affirmer que le gouvernement fédéral a été le moteur principal de la rénovation urbaine, grâce aux demandes tenaces et répétées des marchands et des politiciens hullois. Et le gouvernement québécois a suivi en se laissant embarquer dans une autre Entente Canada-Québec (via la Commission de la Capitale nationale), dirigée par Ottawa et où les provinces sont ravalées au rang de succursales régionales d'un gouvernement fédéral centralisateur et omnipotent qui est une caricature du fédéralisme. On peut aussi affirmer que la rénovation urbaine à Hull, comme à Québec et à Montréal, a porté un dur coup aux classes sociales économiquement faibles. Incontestablement, il y a eu rénovation urbaine à Hull. Mais y a-t-il eu rénovation de la justice sociale?

1.4.2 Conséquences sur le stock de logements

Pour comprendre quelque chose à la politique fédérale, québécoise ou hulloise, en matière d'habitation, il faut presquement un doctorat en sciences politiques canadiennes. Nous assistons en ce domaine à un invraisemblable chevauchement de juridictions et à un gaspillage de ressources au détriment des classes les plus défavorisées de la société.

Une raison de cette confusion, c'est que la juridiction en matière d'habitation et d'urbanisme est, selon Claude Morin[32], une des «zones grises» de la Constitution canadienne.

Tableau 1

LA SITUATION COMPARÉE DU LOGEMENT DANS 5 VILLES DU QUÉBEC

Critères de comparaison		Hull	Sherbrooke	Trois-Rivières	Québec	Montréal
1. Nombre moyen de personnes par ménage[1]		3.6	3.4	3.5	3.2	3.0
2. Nombre moyen de pièces par logement[1]		4.8	4.8	5.0	4.6	4.4
3. Pourcentage de logements surpeuplés[1]		13.6	12.1	10.7	11.1	9.4
4. Pourcentage de logements sans baignoire[1]		5.0	2.2	4.6	6.9	2.7
5. Loyer brut mensuel médian[1]		$115.	$93.	$86.	$97.	$103.
6. Revenu individuel annuel médian[1]	masculin	$6,196.	$5,406.	$5,471.	$5,463.	$5,416.
	féminin	$2,650.	$2,337.	$2,036.	$2,419.	$2,684.
7. Proportion d'unités de logement public, per capita au 31 octobre 1974[1] [2]		1.01	0.35	0.70	0.54	0.47

Source: Andrew, Blais, des Rosiers: *op. cit.*, pp. 28-29 et tableaux 3.2, 3.3, 3.4, 6.3

1. Recensement de 1971, Statistiques Canada
2. Données de la S.H.Q. au 3 octobre 1974.

Précisons, au départ, qu'il ne saurait être question ici de faire le procès des conflits juridictionnels entre le gouvernement fédéral (Société centrale d'hypothèques et de logement et Ministère d'État aux affaires urbaines) et le gouvernement québécois (Société d'habitation du Québec et Ministère des affaires municipales).

Notons, cependant, que ce conflit Ottawa-Québec atteint le point d'exaspération à cause de l'ampleur des besoins de logement décent des familles à faible revenu, à cause de l'impuissance apparente de la Société d'habitation du Québec et à cause du désir des municipalités — la Ville de Hull, en particulier — de traiter directement avec le gouvernement fédéral pour des raisons d'efficacité, ce qui agace prodigieusement le gouvernement québécois.

À partir de données analysées dans un livre remarquable paru aux Éditions de l'Université d'Ottawa en 1976[33], j'ai construit le Tableau 1 (ci-contre) intitulé: *La situation comparée du logement dans 5 villes du Québec*. Ces villes sont Sherbrooke, Trois-Rivières, Hull, Québec et Montréal: les trois premières villes sont de dimensions à peu près semblables, tandis que les trois dernières font partie d'un centre métropolitain. Il est donc possible de comparer Hull à deux types urbains, puisque l'agglomération hulloise est à la fois une capitale régionale et partie d'une vaste conurbation métropolitaine dont le centre est à Ottawa. En examinant le Tableau 1, on constate que la ville de Hull est la plus dynamique dans le domaine du logement public et que le revenu individuel masculin annuel médian est de beaucoup le plus élevé des cinq villes comparées. Par contre, le loyer brut mensuel médian est plus élevé à Hull, de même que le pourcentage de logements surpeuplés et le nombre moyen de personnes par ménage.

Cette supériorité de la ville de Hull — au chapitre du logement public et du revenu — me semble attribuable à son caractère de ville frontalière fortement polarisée par l'Ontario, province pionnière en logement public et où le revenu moyen per capita est supérieur à celui du Québec. Ce qui est particulier à Hull, c'est que le plus gros employeur est situé principalement à Ottawa, et que 5 730 Hullois, au Recensement de 1971, étaient des fonctionnaires fédéraux. Le deuxième gros employeur, à Hull, celui-là, ce sont les usines E.B. Eddy (pâtes et papier, allumettes, etc.) qui employaient en 1975, 2 126 personnes dont 1 550 à taux horaire et 576 à salaire[34]. Ces deux employeurs paient des salaires relativement élevés, ce qui expliquerait que la Ville de Hull soit au premier rang pour le revenu individuel annuel médian masculin (voir le Tableau 1) et au deuxième rang pour le revenu individuel annuel médian féminin.

À partir de statistiques publiées dans l'ouvrage des politicologues de l'Université d'Ottawa[35], j'ai dressé un tableau (voir le Tableau 2) des logements démolis et des personnes délogées par les trois gouvernements, dans l'île de Hull, de 1969 à 1974. En examinant ce tableau 2, on constate avec une certaine stupeur que les gouvernements ont utilisé leurs pouvoirs d'expropriation pour déloger près de 5 000 personnes dans une ville qui comptait alors 60 000 habitants environ. Et ce chiffre n'englobe ni les personnes délogées directement par les gouvernements depuis 1975, ni les personnes délogées par l'entreprise privée. Le tableau 2 fait aussi ressortir une vérité méconnue, car on a tendance à blâmer principalement le gouvernement fédéral, à savoir que c'est le gouvernement du Québec qui est le grand champion des démolitions massives de logements dans la ville de Hull.

Tableau 2

LOGEMENTS DÉMOLIS ET PERSONNES DÉLOGÉES PAR LES TROIS GOUVERNEMENTS DANS L'ÎLE DE HULL, DE 1969 À 1974.

Nom du démolisseur et nom du projet	Nombre de logements démolis	Nombre de personnes délogées
1. *Gouvernement du Québec:* aire provinciale et réseau routier	605	2 796
2. *Gouvernement du Canada:* Place du Portage	257	1 180
3. *Ville de Hull:* aire no 6 et stationnement	119	945
Totaux:	1 119[1]	4 921

Source: Andrew, Blais, Des Rosiers: *Les élites politiques, les bas salariés et la politique du logement à Hull,* Éditions de l'Université d'Ottawa, 1976, pp. 58-60

1. À ce total devrait s'ajouter un nombre approximatif de 500 logements démolis par l'entreprise privée (de 1969 à 1975) dans un but spéculatif.

Notons enfin que le total de 2 796 personnes délogées par le gouvernement du Québec, de 1969 à 1974, ne comprend pas les nombreuses démolitions de logements causées par les expropriations du Ministère des Transports du Québec à l'extérieur de l'île de Hull. Par exemple, des centaines de logements ont été démolis par l'élargissement de la rue Laramée, etc., dans la ville de Hull.

En tenant compte des projets connus, on prévoit que d'ici 1980, «(. . .) plus de 2 000 logements auront alors disparus, (. . .) sans compter les démolitions privées effectuées par les promoteurs. Une telle diminution de la population n'est pas sans affecter toute l'organisation sociale et politique de l'île de Hull».[36]

1.4.3 Performance de la Société d'habitation du Québec

En novembre 1976, il y avait eu, pour remplacer les 1 713 logements démolis alors[37], la construction de 648 unités de logements subventionnés, c'est-à-dire que la rénovation urbaine à Hull se soldait à cette date par un déficit inquiétant de 1 065 logements. En supposant que les logements démolis par l'entreprise privée aient été remplacés par un nombre équivalent de logements neufs, le déficit en logements serait de 700 environ. Ce qui revient à dire que les gouvernements n'ont reconstruit que la moitié environ des logements qu'ils ont eux-mêmes démolis.

Cette constatation est effarante, quand on examine la loi de la Société d'habitation du Québec. Or, que dit cette loi?

> «La Société est tenue d'approuver ou de rejeter le programme de rénovation de la municipalité; elle ne peut l'approuver que si ce programme prévoit, à sa satisfaction, que des logements convenables seront mis à la disposition des personnes privées de logement par suite de l'application du programme, eu égard à leurs revenus; si elle le rejette, elle doit motiver sa décision et en donner avis à la municipalité.»[38]

En regard de cet article 39 de la Loi de la Société d'habitation du Québec, le Groupe de travail sur l'orientation de l'Office municipal d'habitation de Hull faisait le commentaire suivant:

«En 1969, la Ville de Hull procédait à la rénovation de l'aire numéro 6. Celle-ci comprenait 240 logements. Afin de bénéficier du programme de rénovation de quartier, la Ville, conformément à l'article de loi précité, devait s'engager à reloger toutes les personnes déplacées par la mise en oeuvre du dit programme.

«Par contre, le gouvernement provincial, responsable de la démolition de 788 logements nécessaires à l'aménagement du réseau routier et de Place du Centre, a tout simplement remis des avis d'évacuation aux expropriés. Il ne s'est nullement occupé du relogement de ces derniers ni ne s'est assuré que la Ville avait les moyens requis pour venir en aide aux citoyens concernés. Si le gouvernement provincial croit aux bienfaits d'une loi destinée à garantir le bien-être d'une population affectée par les effets néfastes d'une intervention municipale, comment peut-il réaliser le même type d'intervention sans s'obliger à respecter cette même préoccupation sociale?»[39]

Le groupe de travail hullois est très déçu de la performance lamentable de la Société d'habitation du Québec, à cause de l'importance de la question du logement public à Hull et des 1 039 expropriés qui n'ont pas encore été relogés.

«Ainsi, en 1975, par l'intermédiaire du programme quinquennal, la Ville de Hull demandait à la Société d'habitation du Québec 160 nouvelles constructions. Cette dernière lui en octroyait 50. Insatisfaite, la Ville devait revenir à la charge et se voir accorder 30 nouvelles constructions supplémentaires. De plus, en cette même année, les autorités municipales sollicitaient la location de logements de l'entreprise privée. Ils viennent à peine de leur être accordés pour l'année 1977. En 1976, la Ville redemandait à la Société d'habitation du Québec les 80 habitations refusées en 1975 et ajoutait à ce nombre, 260 autres constructions pour l'année en cours, soit un total de 340 nouveaux logements. La réponse de Québec vint: 40 logements seulement. (. . .)

«La Société d'habitation ne consulte pas la municipalité pour discuter des allocations de fonds. Les responsables provinciaux reçoivent les programmes d'habitation provenant des municipalités et procèdent, en catimini, à l'allocation des logements ainsi qu'à l'analyse de toutes autres formes d'intervention en matière d'habitation.

«La Loi de la Société d'habitation du Québec stipule que, pour obtenir des logements subventionnés, les municipalités doivent faire la preuve de leurs besoins. Par contre, cette même loi n'oblige aucunement la Société d'habitation du Québec à justifier les réponses qu'elle fournit aux municipalités dans les programmations annuelles.»[40]

Chapitre 2

L'ESPACE CULTUREL: DIAGNOSTICS

2.0 Présentation

En comparant les nombreuses études que j'ai consultées avant de faire le choix des documents retenus pour le présent dossier, j'ai posé comme hypothèse de travail que le problème de l'urbanisme dans l'Outaouais était un problème culturel ou, plus précisément, un problème d'habitabilité pour les francophones. Aussi mes réflexions personnelles qui forment la seconde partie de mon Dossier Outaouais, portent-elles principalement sur ces concepts d'*habitabilité* et d'*espace culturel*.

Dans son étude sur la région de l'Outaouais, l'Office de planification et de développement du Québec posait à peu près la même hypothèse: «Dans la plupart des autres régions du Québec, lit-on dans ce schéma de l'OPDQ[41], les problèmes sont d'abord de nature économique. Dans l'Outaouais, qui profite de la croissance rapide et continue de la région de l'Est ontarien à laquelle elle est étroitement reliée, les avantages économiques ont pour conséquence directe des inconvénients sérieux sur le plan culturel. Aussi la culture doit-elle être placée au premier plan des préoccupations de la région.»

Mais de quelle culture s'agit-il? En répondant à cette question, les auteurs du schéma de l'OPDQ rejoignent mes recherches personnelles sur la culture entendue dans le sens d'*espace culturel* et d'*habitabilité* pour un groupe d'individus s'identifiant à un ensemble de coutumes et d'idéaux. Il m'est donc apparu important de reproduire ici de larges extraits du schéma que l'OPDQ a consacré à la région de l'Outaouais. Après un commentaire discutable sur les attitudes possibles du Hullois à l'égard de la question culturelle, on lira un texte fort intéressant sur le milieu de travail et sur le pourcentage des francophones dans les organismes fédéraux oeuvrant dans l'agglomération d'Ottawa-Hull. Le lecteur aura ainsi un éclairage complémentaire au témoignage de Douglas H. Fullerton reproduit au chapitre 1.2 et qui traitait de l'ampleur et du taux de croissance de la bureaucratie fédérale.

La langue étant une dimension capitale de l'espace culturel occupe naturellement une place prépondérante dans le présent chapitre. D'après Fullerton[42], le problème serait double: les francophones craignent l'assimilation et les anglophones considèrent le bilinguisme fédéral — n'oublions pas qu'Ottawa est une ville de fonctionnaires — avec une certaine irritation. Nous verrons plus loin (chapitre 3.2.2) que le témoignage de Michel Bilodeau sur le bilinguisme dans la fonction publique fédérale est fort différent.

Le deuxième document reproduit ici et intitulé: «Le recul du français dans l'Outaouais», a été rédigé spécialement à ma demande et je remercie son auteur, Charles Castonguay, de sa collaboration précieuse. Le texte du professeur Castonguay constitue une des pièces maîtresses de mon Dossier Outaouais.

J'ai lu à peu près tous les procès-verbaux et témoignages du Comité mixte spécial du Sénat et de la Chambre des Communes sur la région de la capitale nationale. Au milieu de ce millier de pages souvent désertiques, j'ai repris goût à la vie outaouaise en découvrant une oasis de fraîcheur, d'intelligence et de vivacité à vous couper le souffle: le témoignage de Madame Lyse Daniels-Cesaratto[43], présidente du *Mouvement impératif français de Lucerne*, une banlieue bourgeoise de Hull qui est désormais fusionnée à la petite ville d'Aylmer. Ce mémoire, défendu avec brio par Madame Daniels-Cesaratto, traite des répercussions que pourrait avoir sur les plans culturel et linguistique, le concept d'urbanisme proposé par la Commission de la Capitale nationale dans son document: *La capitale de demain*[44].

Je recommande aux chercheurs la lecture d'un reportage étonnant du journaliste Pascal Barrette paru en août 1976, dans *Le Droit*, quotidien franco-ontarien d'Ottawa[45]. Ce bilan du bilinguisme pratiqué à l'Université d'Ottawa démontre, semble-t-il, que la population francophone de l'Outaouais québécois ne peut compter sur cette institution universitaire ontarienne pour la protection et l'épanouissement de son identité culturelle. L'implantation d'une université francophone véritable à Hull n'en serait que plus nécessaire et urgente, car l'Outaouais québécois a besoin du renfort que pourrait lui apporter l'importante minorité francophone d'Ottawa.

Si l'implantation d'une université francophone de très haute qualité à Hull est une nécessité urgente, il faut y mettre le paquet: la matière grise et l'argent. Or, pour ce faire, il ne faut pas compter, semble-t-il, sur l'Université du Québec et sur le Ministère de l'Éducation. En effet, l'Université du Québec ressemble à Radio-Québec: ces deux institutions souffrent de «montréalite» aigüe: elles se gaussent de régionalisation, tout en pratiquant une décentralisation concentrée à Montréal. Ainsi, le Ministère de l'Éducation vient d'engloutir $62 millions dans la construction éminemment discutable d'un *campus* de l'Université du Québec à Montréal. Si l'on divise cet investissement immobilier par quatre, c'est $15 millions qu'on aurait pu investir pour un campus universitaire à Hull et dans chacune de ces trois villes de la couronne montréalaise: Laval, Joliette et St-Hyacinthe. De plus, il arrive que des cours du soir offerts par l'Université du Québec soient en concurrence directe avec des cours similaires offerts par le Service de l'éducation des adultes de plusieurs collèges. Enfin, les grandes institutions traditionnelles — l'Université Laval et l'Université de Montréal — s'aventurent, elles aussi, dans le marché payant, semble-t-il, des cours du soir coiffés de l'appellation ambigüe d'*éducation permanente*. Si la démocratisation et la régionalisation de l'Université, telles que conçues par le Ministère de l'Éducation, ont pour conséquence une chute inquiétante de la qualité de l'enseignement, la crédibilité des institutions universitaires sera bientôt minée au Québec.

Étant donné que la question du référendum prochain sur la souveraineté-association du Québec est indissociable des problèmes d'habitabilité et d'espace culturel, je signale au lecteur le diagnostic porté par Meyer Nurenberger[46], un journaliste juif domicilié à Toronto: ce texte apporte un éclairage intéressant sur l'espace culturel québécois tel que perçu par un membre d'une autre minorité ethnique canadienne.

2.1 *La question culturelle, vue par L'OPDQ**

2.1.1 Le statut de la culture française

Les divergences de vues sur la question culturelle proviennent d'une part de l'existence de deux concepts fondamentaux de culture et d'autre part, découlant de ces concepts, du rôle et du statut dévolus à la culture française dans l'Outaouais.

Pour certains la culture se réduirait à la langue. La valorisation de la culture française ne serait alors que la possibilité pour les francophones d'utiliser le français dans le plus grand nombre d'activités, en tenant compte évidemment de la prédominance des anglophones.

Pour d'autres, cette définition apparaît trop restrictive, car si la culture s'exprime par la langue, elle a aussi d'autres fondements, entre autres, une organisation sociale, une base économique suffisante et un espace bien délimité, qui donnent l'unité et l'homogénéité à une collectivité. Les aspirations québécoises se fondent généralement sur cette conception élargie de la culture. Les institutions, par exemple, sont considérées comme des moyens indispensables à l'épanouissement de la culture. Pour notre part, nous retenons cette deuxième conception.

Ces observations nous amènent à préciser les fonctions du bilinguisme en regard de la culture française. Il importe de mentionner tout d'abord, que le bilinguisme est une obligation pour la minorité francophone de Hull, à cause des relations étroites et fréquentes entre les deux rives. Tant que l'agglomération d'Ottawa conservera une taille supérieure, elle continuera à exercer une forte attraction, en termes d'emplois et de services. Par ailleurs, ce bilinguisme prend racine aussi chez les franco-ontariens, dont l'importance numérique dans l'agglomération d'Ottawa est significative. On peut se demander alors si les destins des francophones de Hull et d'Ottawa sont étroitement liés, ou, au contraire, voués à s'opposer. D'une part, la présence de francophones en Ontario est souvent invoquée pour justifier l'intégration culturelle de Hull et d'Ottawa et pour répondre aux

---

* Extrait de: *Région de l'Outaouais: état de la situation et perspectives d'aménagement et de développement*, Office de planification et de développement du Québec, Québec, mars 1976. Le titre est de nous.

aspirations québécoises de constituer dans l'Outaouais un espace français spécifique.

D'autre part, les franco-ontariens ont suscité la mise en place de services bilingues, dont la population de l'Outaouais bénéficie, comme l'enseignement collégial et universitaire. Ces expériences de bilinguisme sont souvent contestées, mais elles restent néanmoins préférables à l'unilinguisme anglophone.

Le bilinguisme peut-il, pour autant, constituer la base du développement de la culture française dans l'Outaouais? Il faut rappeler que les francophones de l'Outaouais sont fortement majoritaires chez-eux, ce qui n'est pas le cas des franco-ontariens, et qu'ils jouissent des droits de la majorité, que la loi sur les langues officielles au Québec a élargis et précisés. On devrait conclure que le bilinguisme ne peut être que le complément d'une politique axée sur la prédominance de la culture française et la primauté de la langue française dans l'Outaouais.

Toutes ces considérations renvoient finalement à une interrogation fondamentale: la culture française de l'Outaouais est-elle ou sera-t-elle assez riche, assez intensément vécue, comme dans d'autres régions du Québec, pour trouver en elle-même des forces de développement? L'interdépendance marquée entre Hull et Ottawa a fait subir au québécois de l'Outaouais diverses influences susceptibles d'effriter la culture française. Pour les plus pessimistes, la détérioration de la qualité de la langue et l'affaiblissement du sentiment d'appartenance nationale seraient les signes d'une assimilation à moyen terme. D'autres plus optimistes observeraient une prise de conscience plus aigüe que jamais et une volonté nouvelle de renforcer et de vitaliser la culture française dans l'Outaouais. Il faut reconnaître toutefois que même si des progrès sont possibles, le québécois de l'Outaouais a plus de difficultés que les autres à affirmer son droit à la différence dans un contexte contraignant.

2.1.2 Les attitudes à l'égard de la question culturelle

On observe généralement trois attitudes bien caractérisées à l'égard des problèmes issus de la juxtaposition des deux cultures: le repli, l'assimilation et la différenciation. Elles correspondent à trois tendances que l'on retrouve dans l'agglomération de Hull et dans la région métropolitaine.

Le repli conduit à l'autarcie et à l'isolement de Hull dans la région métropolitaine. Il se traduit concrètement à la limite, par un refus de l'implantation des édifices fédéraux à Hull et de l'aménagement de communications plus fluides entre les deux rives de la rivière des Outaouais. Cette option impliquerait, que la grande majorité de la main-d'oeuvre de Hull travaille au Québec. Devant l'inégal rapport de masse entre les deux groupes culturels, le repli est considéré par certains comme l'attitude la plus sûre pour protéger et conserver la culture française dans l'Outaouais.

L'assimilation est la tendance inverse. En fait, elle ne s'affirme jamais comme telle, elle est rarement explicitée puisque c'est l'attitude de ceux qui considèrent qu'il n'y a pas de problèmes culturels. Au nom de l'efficacité économique ou de la froide logique urbanistique, l'agglomération d'Ottawa-Hull s'organiserait, suivant cette tendance, comme une ville unique et ne pourrait qu'accroître la polarisation exercée par l'Est ontarien sur l'Outaouais. Hull pourrait devenir à terme une banlieue résidentielle avec éventuellement un campus gouvernemental. Le français y aurait un statut de langue seconde et l'anglicisation entraînerait graduellement la disparition des institutions québécoises.

La différenciation est basée d'une part sur la participation de Hull à l'expansion économique de la région métropolitaine et, d'autre part, sur le développement de la culture et des institutions françaises du côté québécois. Elle s'appuie sur la croissance des services fédéraux à Hull en même temps que sur le maintien et le renforcement de la culture des institutions françaises du côté québécois. Elle s'appuie sur la conviction que Hull ne peut rester isolée, mais qu'elle ne doit pas perdre son identité culturelle. Plus qu'un compromis entre les deux autres attitudes, elle constitue en fait un véritable défi puisqu'elle emprunte aux options précédentes des éléments apparemment inconciliables.

Le réalisme de chacune de ces trois attitudes n'est pas toujours évident. Le repli apparaît comme une position de retranchement, comme une voie sans issue qui masque en fait une détérioration de l'économie et même une dégradation de la culture. L'assimilation ne tient pas compte du fait qu'un vouloir collectif ne saurait s'appuyer exclusivement sur l'accroissement du revenu et que la volonté toujours affirmée de développer la culture française dans l'Outaouais est un élément indispensable de dynamisme dans la région. La différenciation, qui semble être l'option de la plupart des leaders en place, constitue un idéal, dont la réalisation comporte sa part de difficultés. C'est cette dernière attitude qui nous apparaît la plus réaliste, la mieux adaptée au contexte global. (. . .)

2.1.3 Le milieu de travail

Il y a tout lieu de croire que la langue d'usage au travail est généralement l'anglais. Les possibilités d'employer le français en Ontario sont liées aux politiques de bilinguisme, en particulier celles qui sont appliquées dans la fonction publique fédérale, où travaille près de 40% de la main-d'oeuvre migrante de Hull. Pour les francophones de l'Outaouais qui travaillent en Ontario, nous manquons cependant de données suffisamment précises pour étudier en détail cette question fort complexe.

La situation s'annonce aussi difficile dans l'agglomération de Hull. Le milieu de travail au centre-ville sera profondément marqué par la présence massive de l'administration publique fédérale. (. . .) Les édifices administratifs ne seraient pas coupés des autres fonctions urbaines, mais au contraire intégrés aux activités commerciales, résidentielles, récréatives et culturelles. Cette conception de l'aménagement, qui comporterait des avantages certains sur le plan urbanistique, peut par contre, avoir des conséquences culturelles graves, en raison de la prédominance des anglophones.

Le tableau 42 montre qu'en 1982, une fois le programme de construction terminé, 28.6% des nouveaux emplois fédéraux à Hull, seraient francophones. Cette proportion correspond en gros à la moyenne de 30% observée dans l'ensemble des organismes fédéraux de la capitale fédérale. À peu près la moitié des fonctionnaires travaillerait dans le centre-ville. Dans ces conditions, même si les commerces et services attiraient fortement la clientèle francophone, le centre-ville aurait indubitablement un caractère anglophone. La situation actuelle à Place du Portage I préfigure en quelque sorte celle qui prévaudra dans l'ensemble du projet, si aucun changement n'est apporté dans le choix des ministères. La prépondérance des anglophones dans les services fédéraux se répercutera non seulement sur les autres secteurs d'activités, greffés aux édifices administratifs, mais aussi sur les zones d'habitation de haute densité prévues à proximité du centre-ville qui pourraient être vraisemblablement occupées en majorité par des anglophones.

Est-il possible d'inverser cette tendance, de choisir des ministères ou organismes où la proportion des francophones est plus élevée? Mais il n'y a pas que la composition linguistique à prendre en compte; il faut aussi considérer les fonctions remplies par les activités fédérales.

Il y a environ 100 organismes fédéraux dans la capitale fédérale. La moitié d'entre eux compte plus de 30% de francophones. Mais seulement 36 pourraient être déménagés du côté québécois. Ces organismes comptent, par hasard, 25,000 employés, soit à peu près le nombre prévu pour 1982. Dans la meilleure des hypothèses, où tous ces organismes seraient déplacés à Hull, la proportion de francophones atteindrait 39.2%.

En fait, les francophones sont dispersés dans tous les organismes. Ils dominent à plus de 60% dans seulement quatre: la Commission de la fonction publique, le bureau du Commissaire aux langues officielles, la Conférence canadienne intergouvernementale et Information Canada, qui comptent ensemble 3,255 fonctionnaires. Pour trois autres, la proportion se situe entre 50% et 60%: le Secrétariat d'État, la Cour Suprême du Canada et la Compagnie des jeunes canadiens, qui regroupent 1,321 employés. En somme, même la sélection la plus favorable aux francophones s'avérerait insuffisante à leur assurer une majorité.

Mais en plus de la présence francophone dans les édifices fédéraux, le Québec doit se préoccuper des fonctions que remplissent les divers organismes. Le tableau 44 contient le liste des 36 organismes, répartis selon trois fonctions: de service, culturelle et de prestige. La plupart assument des fonctions de service, comme c'est le cas d'ailleurs de l'ensemble de l'administration fédérale. Toutefois, ce n'est pas en termes quantitatifs qu'il faut évaluer l'importance des autres fonctions, mais plutôt selon leur signification sociale et politique. Ce peut-être le cas de l'ACDI, et du Commissariat aux langues officielles par exemple.

Ces observations soulèvent finalement une question fondamentale: quelle doit être la proportion minimum de francophones dans les édifices fédéraux qui seront implantés à Hull? Suivant quels principes peut-on fixer un objectif?

Un autre point apparaît primordial. La loi 22 sur les langues officielles adoptée par le Gouvernement du Québec, a promu le français comme langue de travail et soumet les entreprises à plusieurs obligations. Mais, comme on le sait, cette loi ne peut s'appliquer aux organismes fédéraux. Toutefois, le gouvernement central serait mal venu de ne pas respecter l'esprit de la loi.

C'est dans cette optique qu'il faut situer la question de la langue de travail, liée non seulement à la proportion de francophones, mais aussi à la politique fédérale de promotion du français dans l'administration. Les rapports annuels du Commissaire aux langues officielles ne cessent de mettre en évidence l'état d'infériorité de la langue française dans l'ensemble de l'administration. La loi fédérale sur les langues officielles prévoit que, dans une municipalité qui compte plus de 10% de francophones, les services à la clientèle doivent être bilingues. En outre, les postes de direction doivent, le plus possible, être accessibles aux francophones. C'est dans ce contexte, que l'école des langues du gouvernement fédéral dispense des cours de français (et d'anglais aussi). Mais il semble bien que le champ d'application de cette loi soit trop restreint pour étendre l'usage du français dans la fonction publique fédérale. Plusieurs organismes, en effet, n'ont pas de clientèle spécifique. Le ministère de l'environnement, qui est situé à Hull, est un bon exemple. Malgré ces limites, la loi fédérale améliorera sans doute le rôle du français.

Bref, le milieu de travail comporte des contraintes culturelles très lourdes, en raison d'abord de la prépondérance des anglophones dans l'administration fédérale et, ensuite, de la dispersion des francophones dans les divers organismes. De plus, tandis que le gouvernement fédéral semble disposer de moyens insuffisants pour promouvoir le français à l'intérieur de son administration, le Québec, qui dispose d'une politique linguistique, ne peut légalement l'appliquer dans un domaine d'importance primordiale pour la survie culturelle de la région de Hull.

2.1.4 Les services d'éducation

A L'enseignement collégial

Le CEGEP de Hull compte 1,700 étudiants soit 42.5% de sa clientèle potentielle. Suivant la norme d'un étudiant par 60 habitants, il devrait accueillir environ 4,000 étudiants s'il desservait toute la région administrative. Depuis 1972, cette situation déjà défavorable tend à s'aggraver, puisque le nombre d'étudiants diminue. Il a été stable en 1972 et 1973, respectivement 1,672 et 1,676; mais, les inscriptions en première année ont baissé de 16% durant la même période. Un autre indice significatif: le taux de persévérance scolaire des étudiants du Secondaire V de la région vers le CEGEP de Hull est de 30%, par rapport à 50% dans tout le Québec.

Le CEGEP de Hull fait face à trois types de difficultés: la forte attraction exercée par les institutions ontariennes; la dispersion de la population et l'écartellement de la région; et, la présence d'une population anglophone qui tend à augmenter notamment dans l'agglomération de Hull.

1) L'attraction des institutions ontariennes

L'attraction des institutions ontariennes est de loin le facteur qui affecte le plus le système scolaire québécois. Les principaux établissements sont l'Université d'Ottawa, l'Université de Carleton et le Collège Algonquin (école d'enseignement professionnel). Plusieurs raisons incitent les étudiants québécois à fréquenter ces institutions.

D'abord, les conditions d'admission permettent de gagner au moins un an et quelquefois deux. Le passage aux écoles ontariennes peut se faire après le Secondaire IV, le Secondaire V, ou la première année de CEGEP. Une entente entre les deux provinces permet aux étudiants de l'Outaouais de recevoir des bourses du Gouvernement du Québec pour fréquenter les institutions ontariennes. Dans ce contexte, la proximité géographique (pour la plupart, il n'y a pas de frais de pension) constitue une autre raison importante. En outre, la diversité des programmes est en elle-même attrayante. Il faut mentionner également le développement de l'enseignement en français dans certaines institutions ontariennes, notamment au Collège Algonquin. Finalement, de l'avis de certains étudiants, les diplômes émis par des institutions «anglophones» facilitent l'accès au marché du travail.

En 1973-74, 550 étudiants de l'Outaouais ont fréquenté l'Université d'Ottawa et 300 le Collège Algonquin. L'Université d'Ottawa dessert d'ailleurs tout le Québec. En 1973-74, 750 étudiants provenaient d'autres régions du Québec. On sait que cette institution se définit comme bilingue, mais nous n'avons pu savoir quelle est la proportion de francophones qui reçoivent un enseignement en français.

Le Collège Algonquin est moins important, mais son influence ne cesse d'augmenter. Il possède trois campus, à Ottawa, Pembroke et Hawkesbury. Le nombre d'étudiants de l'Outaouais n'était que de 36 en 1968-69; il est passé à 226 en 1972-73 et, selon les estimations, à près de 300 en 1973-74, soit plus de 10% de la clientèle du Secondaire V. Le Collège compte 25% de francophones; ceux qui proviennent de l'Outaouais représentent 20%.

Le système scolaire ontarien permet depuis quelques années le développement du secteur francophone, du niveau élémentaire jusqu'à l'école professionnelle, dans la mesure où le volume de population le permet. En 1972-73, près des ⅔ des francophones du Collège Algonquin recevaient un enseignement en français. En 1970-71, il y en avait 32% et en 1969-70, 5%.

2) La dispersion de la population et l'écartellement de la région

D'après une enquête faite par le CEGEP, 82% de la clientèle provient d'une zone de 35 milles de rayon autour de Hull et 14% du reste de la région. Ainsi, le véritable bassin de population du CEGEP est de 170,000 habitants (les ⅔ de la région), soit une clientèle potentielle de 2,800 étudiants. Un vaste territoire de 80,000 personnes n'est donc que faiblement attiré par le CEGEP de Hull. Le taux de persévérance des étudiants de la Commission Scolaire régionale Henri-Bourassa (comté Labelle) vers le CEGEP de Hull est de 17%, comparé à 31% et 25% dans celles de l'Outaouais et de Papineau. En 1972-73, il n'y avait que 4 étudiants de Mont-Laurier au CEGEP de Hull, contre 30 à celui de St-Jérôme.

Pour rejoindre les étudiants de l'arrière-pays, le CEGEP a mis au point un programme d'information échelonné sur trois ans, dans le but de mieux faire connaître les programmes offerts et les avantages des institutions québécoises. Mais il est trop tôt encore pour en voir les effets. Il faut croire, par ailleurs, que la direction et le ministère de l'Éducation sont optimistes, puisqu'une bâtisse d'une capacité de 3,500 étudiants a été construite. Elle est partagée actuellement avec l'Université du Québec.

3) La présence d'une population anglophone dans l'Outaouais

Les anglophones forment 19% de la population de la région. En 1972-73, ils représentaient 23% des étudiants du CEGEP. La présence d'étudiants anglophones a amené la direction du CEGEP à s'interroger sur son statut. Trois solutions ont été étudiées:
- un Collège unilingue français;
- offrir l'enseignement aux deux groupes anglophones et francophones dans un seul édifice (cohabitation);
- dispenser l'enseignement aux deux groupes dans deux pavillons distincts.

C'est la dernière solution qui a été finalement retenue. Selon la direction, la cohabitation constitue un moyen d'assimilation. S'il y a risque d'assimilation de la majorité francophone par la minorité anglophone dans le CEGEP de Hull, on peut s'interroger sur les conséquences culturelles de la cohabitation d'une minorité francophone et d'une majorité anglophone dans un collège ontarien.

Quant à la première solution, qui supposerait la création d'un CEGEP anglophone, elle a été rejetée, par crainte, avec le temps, de voir les francophones préférer l'institution anglophone. Le contexte peut toutefois changer radicalement, avec la croissance de la population anglophone. Quand celle-ci aura atteint une taille suffisante, elle sera en droit d'exiger un CEGEP anglophone, dans la mesure évidemment où elle ne se dirigera pas massivement vers les institutions ontariennes.

Devant ces trois types de difficultés, est-il possible d'accroître la clientèle du CEGEP de Hull? On peut fixer à 40%

environ (le véritable bassin de population du CEGEP étant de 170,000) la proportion d'étudiants de l'Outaouais qui ne fréquente pas le CEGEP de Hull. Il semble possible de rejoindre plus d'étudiants de l'arrière-pays, mais il ne faut pas attendre de résultats spectaculaires en raison de la structure de la région et de la dispersion de la population sur le territoire.

Quant aux institutions ontariennes, leur influence restera importante: elles sont situées à proximité et elles offrent une grande variété de programmes. Les contraintes majeures sont les conditions d'admission et le système de bourses. Si ces obstacles étaient au moins partiellement levés, le nombre total d'étudiants au CEGEP de Hull pourrait augmenter et se rapprocher davantage du potentiel de 2,800.

Par ailleurs, la présence des étudiants anglophones ne constitue pas une difficulté pour le moment, car leur nombre est relativement faible. Mais, à long terme, le poids démographique pourrait entraîner des changements importants.

B L'enseignement supérieur

L'enseignement supérieur au Québec, en raison de sa nature même, est fortement concentré à Montréal, Québec et Sherbrooke. L'Université du Québec, créée en 1969, a permis l'implantation de l'enseignement supérieur dans cinq centres intermédiaires, Trois-Rivières, Chicoutimi, Rimouski, Rouyn et Hull. Mais ce réseau vise avant tout à fournir un enseignement dans des domaines spécifiques, comme on le verra plus loin. Ainsi, au niveau universitaire, Hull ne peut offrir plus de services que ne lui permet la population de sa zone d'influence. Dans cette optique, les programmes offerts par l'Université du Québec semblent correspondre aux fonctions régionales de Hull.

L'Université du Québec à Hull a été créée en 1971. Sa gestion est assurée par la Commission des études universitaires dans l'Ouest québécois, qui dessert deux régions, l'Outaouais et le Nord-Ouest. Celles-ci ont été regroupées parce que prises séparément, elles ne possédaient pas la clientèle suffisante pour justifier deux constituantes.

Au cours de l'été 1974, la Direction des études universitaires dans l'Ouest québécois a déposé un plan triennal (1974-1976), axé sur les grandes missions de l'Université, enseignement, recherche et services publics. Pour chacune d'elles, l'Université a défini les objectifs suivants:

Enseignement:

«Offrir des enseignements caractérisés, à une clientèle formée en majorité d'adultes, qui fréquentent l'Université à temps partiel et qui sont désireux essentiellement de perfectionner leurs connaissances dans le but de mieux exercer leur profession». Quatre programmes ont été retenus: l'éducation, l'administration, les sciences humaines et les sciences de la santé. Un accent spécial sera mis aussi sur l'enseignement à distance.

Recherche:

«Organiser et soutenir des activités de recherche appliquée, directement utiles au milieu de l'Ouest québécois . . . «, dans les domaines des sciences administratives, des sciences de l'éducation et de l'aménagement du territoire.

Services publics:

«Maintenir, enrichir et diversifier les liens avec les organismes locaux de façon à être attentifs à l'expression des besoins du milieu, à faciliter même cette expression et à assurer éventuellement, comme il se doit, un rôle important dans la vie intellectuelle de la région.»

Comme on le voit, l'Université de Hull ne remplit qu'une fonction régionale. Il semble même qu'elle soit proportionnellement moins développée que d'autres constituantes. Par exemple, en 1973-74, il y avait 53 étudiants à plein temps à Hull, 159 à Rouyn, 1071 à Chicoutimi et 627 à Rimouski. Selon le plan triennal, le nombre d'étudiants à plein temps doit atteindre 216 en 1976-77.

Quelles sont les perspectives d'évolution de l'enseignement supérieur à Hull? Il est évident que la fonction universitaire de Hull ne peut être accrue sensiblement, si elle ne vise qu'à répondre aux besoins régionaux. Toutefois, dans le contexte de la région métropolitaine d'Ottawa-Hull, dont l'éventail des besoins est plus large, elle pourrait prendre de nouvelles dimensions. Il ne s'agirait pas pour l'Université de Hull de concurrencer les programmes des deux grandes universités ontariennes, mais plutôt de se spécialiser dans des domaines spécifiques, dont le développement aurait une incidence culturelle significative.

Tableau 42

PROGRAMME DÉCENNAL DE RELOCALISATION DES EMPLOIS FÉDÉRAUX À HULL

Ministères	Emploi total en 1982	Francophones	
		%	Nombre
Consommation et Corporation	2,150	31.1	667
Travail	1,168	23.4	268
Main-d'oeuvre et Immigration	2,480	30.0[1]	744
Affaires Indiennes et du Nord	2,980	19.1	506
Approvisionnements et Services	5,277	35.8	1,846
Expansion économique et régionale	1,477	33.9	502
Secrétariat d'État	1,789	50.0	894
Industrie et Commerce	3,565	30.0[1]	1,069
Environnement	2,765	10.0	276
Laboratoires	1,000	30.0[1]	300
Total	24,651	28.6	7,072

Source: Ministère des Travaux publics du Canada, 1972.

1. Nous n'avons pas de données sur la répartition linguistique dans ces ministères. Nous avons supposé que la proportion des francophones est égale à la moyenne observée dans l'ensemble de la Capitale Nationale.

Tableau 43

LES EMPLOYÉS DES ORGANISMES FÉDÉRAUX AYANT PLUS DE 30% DE FRANCOPHONES, 1973

% de francophones	Nombre d'organismes	Nombre d'employés
60% et plus	4	3,255
50% à 60%	3	1,321
40% à 50%	8	2,016
30% à 40%	21	18,657
Total	36	25,249

Source: Commission de la Capitale Nationale.

Fonction de prestige	Emploi total	% de francophones
1. Conférence canadienne intergouvernementale	34	73.2
2. Cour suprême du Canada	57	54.2
3. ACDI	863	37.0
4. Centre de recherche en Développement international	136	36.8
5. Conseil des Sciences du Canada	64	31.2
6. Conseil économique du Canada	167	31.1
7. Conseil des recherches médicales	30	30.0

Source: Commission de la Capitale Nationale.

Tableau 44
PRINCIPAUX ORGANISMES FÉDÉRAUX OÙ LA PROPORTION DE FRANCOPHONES DÉPASSE 30%, POUVANT ÊTRE DÉPLACÉS DU CÔTÉ QUÉBÉCOIS, 1973

Fonction de service	Emploi total	% de francophones
1. Commission de la Fonction Publique	2,695	64.6
2. Information Canada	467	60.4
3. Compagnie de Jeunes Canadiens	31	54.8
4. Secrétariat d'État	1,233	50.0
5. Commission canadienne du Lait	40	47.5
6. Commission de révision de l'Impôt	33	45.5
7. Commission des relations de travail dans la fonction publique	114	44.7
8. Service pénitencier du Canada	221	42.3
9. Justice	593	42.2
10. Monnaie royale canadienne	432	40.1
11. Centre gouvernemental canadien de la photo	50	39.1
12. Département d'État, affaires urbaines	308	36.4
13. Approvisionnement et services	6,888	35.8
14. Tribunal anti-dumping	14	35.7
15. Solliciteur général	167	34.1
16. Expansion économique régionale	725	33.9
17. Département d'État, Services et technologie	175	33.9
18. Société du crédit agricole	128	32.8
19. Corporation des disparitions des biens de la Couronne	62	32.3
20. Affaires des Anciens Combattants	992	32.1
21. Statistique Canada	4,814	31.7
22. Commission du tarif	35	31.4
23. Consommation et corporation	1,417	31.1
24. Commission d'Assurance-Chômage	995	30.2

Fonction culturelle	Emploi total	% de francophones
1. Commissaire aux langues officielles	59	74.6
2. CRTC	356	45.8
3. Conseil des Arts du Canada	227	42.7
4. Musées nationaux du Canada	630	33.4

2.2 *Le recul du français dans l'Outaouais.*

par Charles Castonguay

2.2.1 *Problématique et politique linguistique selon Ottawa*

La présente étude se veut un aperçu de l'évolution de l'importance relative des différents groupes linguistiques dans la région de l'Outaouais québécois, et plus particulièrement dans la région métropolitaine de recensement de Hull. Puisqu'un bon nombre des résidants de la région hulloise travaillent, étudient, consomment ou se divertissent quotidiennement dans la ville d'Ottawa, pour mieux cerner les facteurs qui influencent le comportement linguistique des Franco-Québécois, nos observations se doubleront parfois d'analyses parallèles de l'évolution des groupes linguistiques du côté ontarien, c'est-à-dire dans la région métropolitaine de recensement d'Ottawa.

Nos constatations de certains faits linguistiques s'appuieront exclusivement sur des données rendues disponibles au public par le Service aux utilisateurs de Statistique Canada, et recueillies aux recensements canadiens de 1961, 1971 et 1976. Mais parce qu'on ne peut comprendre le déroulement de ces faits en faisant abstraction de leurs causes, nous ferons d'abord état de la perception des problèmes culturels de la région hulloise retenue par le gouvernement fédéral et des interventions subséquentes de ce principal agent de transformation de la vie outaouaise pendant la période qui nous intéresse. Trois études majeures fournissent l'essentiel de la problématique et des solutions arrêtées par le gouvernement fédéral: le livre V du rapport final de la Commission royale d'enquête sur le bilinguisme et le biculturalisme, ou Commission BB, intitulé *La capitale fédérale*, publié en 1970; l'étude spéciale *La capitale du Canada: comment l'administrer?* rédigée par Douglas Fullerton, parue en 1974; et le plan de développement *La capitale de demain* lancé en 1974 par la Commission de la capitale nationale, ou CCN, au moment où elle atteignait le sommet de son pouvoir dans la région.

Les recommandations de la Commission BB touchant la région de Hull reposent en grande partie sur une analyse des statistiques de recensement de 1961. Les commissaires en avaient conclu que seule la francophonie du côté d'Ottawa éprouvait des problèmes culturels graves, et que les francophones du côté de Hull souffraient uniquement d'un sous-développement économique (op. cit., p. 27). Mais les commissaires ne disposaient que des données sur la *langue maternelle* des individus, c'est-à-dire sur la langue parlée en famille par ceux-ci lors de leur petite enfance. Conscients du fait que ces données nous renseignent trop imparfaitement sur le comportement linguistique actuel des répondants, les commissaires ont recommandé qu'une nouvelle question portant sur la *langue d'usage*, c'est-à-dire la langue habituellement utilisée au foyer par le répondant au moment du recensement, soit ajoutée au questionnaire de 1971. Ce qui fut fait.

Les réponses à cette nouvelle question permettent une évaluation beaucoup plus sensible et actuelle de la situation linguistique, et l'étude Fullerton en a tenu compte. Réagissant aux premiers résultats du recensement de 1971 rendus publics vers la fin de 1973, Fullerton a reconnu en effet que la francophonie de la région de Hull souffrait aussi d'une anglicisation certaine, et a proposé son «principe de concentration linguistique raisonnable» visant à promouvoir le regroupement des francophones dans des communautés assez fortes pour résister à l'assimilation.

L'examen de conscience de l'ex-président de la CCN est cependant survenu trop tard. Pour des raisons d'«intérêt national» que nous ne pouvons examiner ici, à la toute fin des années soixante, les gouvernements fédéral et québécois, ce dernier sous la direction de Robert Bourassa, avaient déjà adopté le double objectif proposé par la Commission BB, soit de développer économiquement le côté hullois par l'implantation à Hull de ministères et départements de la Fonction publique canadienne et de promouvoir un bilinguisme social visant la réalisation d'une gamme complète de libertés linguistiques: la liberté de travailler dans la langue de son choix; de faire instruire ses enfants dans la langue de son choix; d'élire domicile dans le quartier résidentiel de son choix (ibid., p.52); et ainsi de suite. Et sous la direction du même Fullerton, la CCN s'était déjà pleinement engagée dans la réalisation de ce double objectif.

L'homogénéisation économique et culturelle des régions métropolitaines d'Ottawa et de Hull était donc bien lancée pendant la période 1971-76. Si Fullerton a eu le mérite de tenter tardivement d'ajuster l'action du gouvernement fédéral afin d'écarter le danger réel d'exporter du côté hullois l'anglicisation débilitante et archiconnue qui sévissait du côté d'Ottawa, ses scrupules n'on pas dévié la CCN de son grand dessein désormais trop bien engagé pour être modifié en profondeur de l'intérieur. En effet, dans son ambitieux projet *La capitale de demain*, publié à la même époque que l'étude Fullerton, la CCN propose explicitement de ne pas seulement rééquilibrer la répartition des édifices fédéraux entre Hull et Ottawa, mais de rééquilibrer la distribution résidentielle de la population elle-même de façon à porter, de là à l'an 2000, du quart au tiers la part de la population du côté hullois dans l'ensemble de la région de la capitale fédérale: ce qui impliquait tout simplement que la population de la conurbation Aylmer-Hull-Gatineau allait devoir plus que tripler, en quelques vingt-cinq ans (op. cit., p. 48). Un tel surdéveloppement irait évidemment à l'encontre d'un quelconque principe de concentration raisonnable, puisque le trop-plein de population anglophone du côté d'Ottawa qui serait invité à se déverser du côté de Hull ne pourrait qu'ébranler la position déjà fragile du français dans l'Outaouais.

Si Fullerton a vainement tenté d'influencer le rouleau-compresseur qu'il avait lui-même contribué à emballer, les citoyens francophones de l'Outaouais s'en sont efficacement chargés en portant au pouvoir aux élections québécoises de 1976 une députation régionale majoritairement souverainiste. Depuis novembre 1976, soit quatre mois après le recensement de 1976, l'Outaouais connaît un temps de répit et de réévaluation qui se soldera sans doute par une reprise en main de son propre développement. Nos observations de l'évolution de la situation linguistique de l'outaouais de 1961 à 1976 se veulent une contribution à cette réflexion.

2.2.2 Ce que le recensement de 1971 nous apprend sur l'assimilation:

L'analyse des données de 1971 sur la langue maternelle et la langue d'usage révèle une polarisation accélérée des francophones du côté hullois de la région de la capitale fédérale. Ce mouvement de fond de la réalité linguistique, ignoré dans le rapport de la Commission BB qui se fonde sur une fictive importance égale des deux francophonies de chaque côté de la rivière

Outaouais, renverse les principaux arguments de ce rapport et exige une révision fondamentale de l'optique fédérale de développement de la région.

La comparaison des taux d'anglicisation du côté ontarien et du côté québécois démontre que seul le bilinguisme territorial, et non le bilinguisme social ou homogène prôné par la politique fédérale, saura maintenir un certain équilibre linguistique dans les régions de Hull et d'Ottawa. Le gouvernement fédéral devra reconnaître et cesser de violer la plus élémentaire des lois socio-linguistiques: deux langues ne peuvent coexister en contact intime, la plus faible des deux étant inévitablement appelée à disparaître.

En s'appuyant uniquement sur les données de 1961 sur la langue maternelle, le rapport BB insiste que la population «francophone» du côté ontarien de la région Hull-Ottawa est égale à celle du côté québécois (*op. cit.*, pp.27, 52, 108, 112, etc.). Or une personne de langue maternelle française peut très bien ne plus parler couramment cette langue, aussi n'utiliserons-nous le mot «francophone» que dans le sens du *Petit Robert*, soit «qui parle habituellement le français». Les chiffres du recensement de 1971 sur la langue d'usage au foyer sont dans ce sens beaucoup plus appropriés, et donnent une population de 120,000 francophones du côté de Hull en regard de 80,000 du côté d'Ottawa, suivant la délimitation territoriale des deux régions retenues par la Commission BB. Soixante pour cent des francophones de la région Hull-Ottawa habiteraient donc du côté québécois.

Une dynamique très consistante de polarisation du fait français du côté de Québec se dégage en plus de la comparaison des populations francophones par groupe d'âge, établie au tableau 1. Si les francophones âgés de 55 ans ou plus se répartissent à peu près également des deux côtés de la rivière des Outaouais, l'importance relative du contingent québécois augmente régulièrement à mesure que l'on parcourt les groupes d'âge plus jeunes, pour atteindre jusqu'à 64 pour cent des enfants de 0 à 9 ans. En 1971, donc, pour un enfant francophone habitant du côté d'Ottawa, il y en avait deux qui habitaient du côté du Québec.

Tableau 1

RÉPARTITION PAR GROUPE D'ÂGE DE LA POPULATION
DE LANGUE D'USAGE FRANÇAISE SELON LA PROVINCE DE RÉSIDENCE,
RÉGION HULL-OTTAWA, 1971

	Résidant au Québec	Résidant en Ontario	Total
0 à 9 ans	26,400 (64%)	15,000 (36%)	41,400 (100%)
10 à 19 ans	27,300 (62%)	16,800 (38%)	44,100 (100%)
20 à 34 ans	30,600 (61%)	19,700 (39%)	50,300 (100%)
35 à 54 ans	24,800 (58%)	17,600 (42%)	42,400 (100%)
55 ans et plus	12,400 (49%)	13,000 (51%)	25,400 (100%)
Total	121,500	82,100	203,600

Cette polarisation des francophones du côté de Hull s'explique surtout par l'anglicisation croissante des jeunes Franco-Ontariens, mais en partie aussi par le fait que certains couples franco-ontariens choisissent pour des raisons économiques ou parfois culturelles, d'élire domicile du côté hullois, où le logement est moins cher. La progression de la polarisation est illustrée en plus grand détail par la Figure 1. La base démolinguistique du rapport BB repose donc sur du sable mouvant.

Au tableau 2, nous relevons directement l'effet de l'ambiance anglicisante de la région de la capitale fédérale sur les populations de langue maternelle française des régions de Hull et d'Ottawa. Les taux d'anglicisation de ce tableau représentent la fraction des personnes d'un groupe d'âge donné qui se sont déclarées en 1971 de langue maternelle française mais de langue d'usage anglaise, par rapport à la population totale de langue maternelle française de ce même groupe d'âge. On retiendra qu'après avoir passé de l'adolescence à la vie adulte, c'est-à-dire au moment du choix linguistique et culturel autonome et définitif, 27 pour cent des jeunes adultes franco-ontariens de la région d'Ottawa avaient opté en 1971 pour l'anglais comme langue d'usage en famille, contre un taux

Figure 1: Répartition procentuelle des francophones de la région Ottawa-Hull, par groupe d'âge

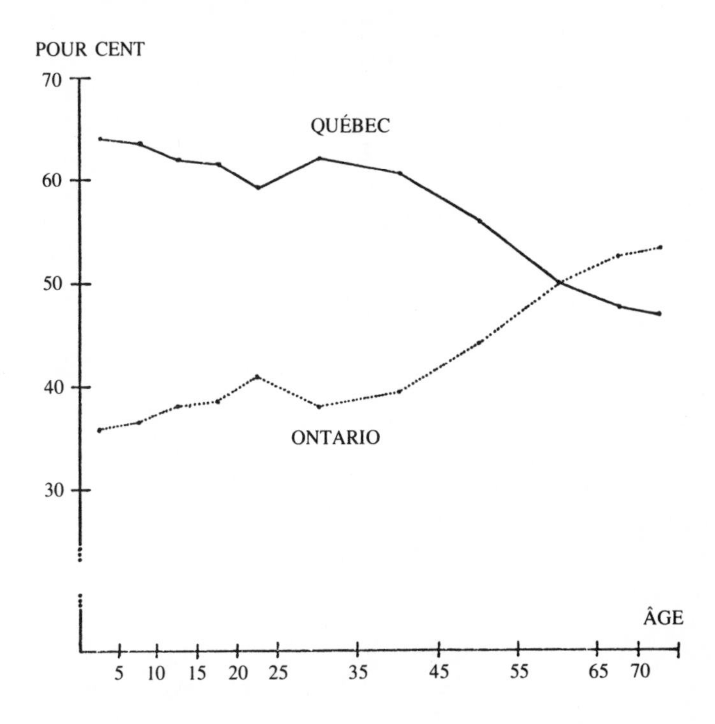

d'anglicisation de seulement 5 pour cent chez les jeunes adultes de langue maternelle française du côté de Hull. Puisque les enfants des jeunes adultes qui ont effectué un transfert linguistique vers l'anglais seront normalement de langue maternelle et de langue d'usage anglaises, l'anglicisation différentielle observée selon que l'on habite du côté ontarien ou du côté québécois est manifestement la cause première de l'importance relative croissante du contingent francophone habitant au Québec.

La Figure 2 reprend graphiquement les taux d'anglicisation du dernier tableau, et fait ressortir davantage une dynamique de l'assimilation par groupe d'âge que nous avons observée aussi dans toutes les autres régions canadiennes: le taux d'anglicisation des jeunes adultes est presque le double de celui des

Tableau 2

TAUX D'ANGLICISATION PAR GROUPE D'ÂGE DE LA POPULATION DE LANGUE MATERNELLE FRANÇAISE SELON LA PROVINCE DE RÉSIDENCE, RÉGION HULL-OTTAWA, 1971

	0 à 14 ans	15 à 19 ans	20 à 24 ans	25 à 34 ans	35 à 44 ans	45 à 64 ans	65 ans et plus
Région de Hull	2,1%	2,1%	4,3%	4,6%	4,3%	4,6%	2,8%
Région d'Ottawa	10,3%	13,9%	21,7%	26,5%	26,9%	23,1%	15,0%

Figure 2: Taux d'assimilation dans les composantes provinciales de la région Ottawa-Hull

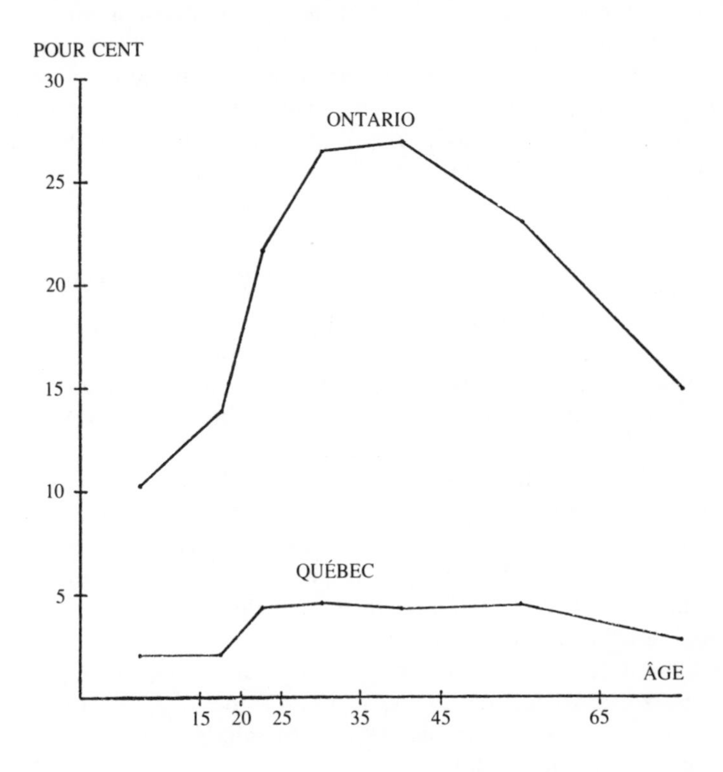

personnes âgées de 65 ans et plus. Les transformations profondes de la société contemporaine font que l'assimilation des minorités linguistiques s'accélère, et la politique de bilinguisme social du présent gouvernement canadien a sans doute comme effet d'exacerber cette tendance dans la région Hull-Ottawa.

Selon les données de 1971, donc, la frontière interprovinciale protégeait encore partiellement la population franco-québécoise de la région contre le taux effarant d'anglicisation accusé du côté d'Ottawa. Mais le bouleversement du côté hullois réalisé depuis 1971 par le gouvernement fédéral, tend à recréer du côté du Québec les mêmes conditions de minorisation et d'assimilation connues du côté d'Ottawa. Une rectification s'impose, car à la lumière du recensement de 1971, un développement de la région Hull-Ottawa qui irait à l'encontre du principe de bilinguisme territorial ne serait qu'un projet d'assimilation condamnable. Il faut reconnaître et promouvoir dans les politiques fédérales l'existence de deux nations distinctes au Canada, et déterminer et respecter pour chacune son territoire linguistique propre. Cela revient, dans la région de la capitale fédérale, à faire en sorte que Hull soit aussi français qu'Ottawa est anglais, sans quoi le fait français serait condamné à se rétrécir comme une peau de chagrin dans l'Outaouais.

2.2.3 Interrelation entre territoire et rétention linguistique

C'est après avoir quitté le milieu familial et scolaire de sa jeunesse qu'un individu fait son choix linguistique définitif. Par conséquent, nous nous sommes intéressé particulièrement au comportement linguistique des jeunes adultes de 25 à 44 ans. Nous avons choisi de fixer notre attention sur les moins de 45 ans, parce que la connaissance du taux d'anglicisation de la génération active et procréante actuelle est de la plus haute importance pour l'avenir. En effet, la langue parlée à la maison par ces adultes déterminera la langue maternelle de leurs enfants, et chez la population d'origine ethnique française de la région Ottawa-Hull, les deux tiers de ceux qui se déclarent de langue maternelle anglaise s'avouent aussi unilingues anglais, c'est-à-dire incapables de converser en français. L'importance de la langue parlée à la maison est donc capitale pour l'avenir du français dans les régions de Hull et d'Ottawa.

Nous avons vu au Tableau 2 que le lieu d'habitation exerce une influence décisive sur le maintien du français en famille. Nous étions curieux de savoir jusqu'à quel point le lieu de naissance influait sur la rétention du français. Nous nous attendions à trouver que les ex-Franco-Québécois, c'est-à-dire les personnes nées dans des familles françaises au Québec mais habitant en Ontario en 1971, retiennent l'usage du français en famille beaucoup mieux que les Franco-Ontariens, nés et habitant toujours en Ontario. Or le Tableau 3 montre qu'il n'en est pas ainsi.

De ce tableau on retiendra que le lieu de naissance semble être un facteur bien secondaire dans la perte ou la rétention du français en famille. Les ex-Franco-Québécois habitant la région d'Ottawa n'y offrent guère plus de résistance à l'anglicisation

Tableau 3

TAUX D'ANGLICISATION DES 25 à 44 ANS, SELON LE LIEU D'HABITATION ET LE LIEU DE NAISSANCE, RÉGION HULL-OTTAWA, 1971

	Habitant la région de Hull	Habitant la région d'Ottawa
Nés au Québec	4%	23%
Nés en Ontario	9%	26%

que leurs corésidants Franco-Ontariens, les taux d'anglicisation se fixant à 23% et à 26% respectivement. Symétriquement, la rétention du français chez l'ex-Franco-Ontarien qui a élu domicile dans la région de Hull se rapproche nettement de celle des Franco-Québécois, soit 9% en regard de 4% respectivement. Les données de 1971 confirment donc l'importance du lieu d'habitation pour la rétention du français au foyer.

On peut remarquer enfin une variation sensible du taux d'anglicisation dans les différentes municipalités à l'intérieur des régions métropolitaines de Hull et d'Ottawa. La Figure 3 donne le taux d'anglicisation des jeunes adultes de langue maternelle française, âgés de 25 à 44 ans, selon l'importance relative de la population de langue maternelle française dans certaines municipalités de la région Hull-Ottawa, toujours d'après les données de 1971. Règle générale, plus la proportion de francophones dans une municipalité est forte, moins il y a d'anglicisation. Ainsi, par exemple, à Vanier, ville ontarienne à 66% de langue maternelle française, le taux d'anglicisation de 13% des jeunes adultes est inférieur au taux d'anglicisation de 15% à Aylmer, ville québécoise mais à 50% seulement de langue maternelle française.

Notre étude nous a conduit par hasard à une autre constatation: une part très importante de la francophonie habitant le côté ontarien de la région est née au Québec. Sans cette immigration québécoise, le contingent francophone du côté ontarien, et de la ville d'Ottawa tout particulièrement serait encore moins important qu'actuellement. En effet, plus de 35 pour cent des adultes de langue maternelle française dans la région d'Ottawa sont nés au Québec.

Pourcentage de la population des jeunes adultes (25 à 44 ans) de langue maternelle française dans l'agglomération Ottawa-Hull, en 1971

PLAN 1
(à comparer avec le Plan 2)

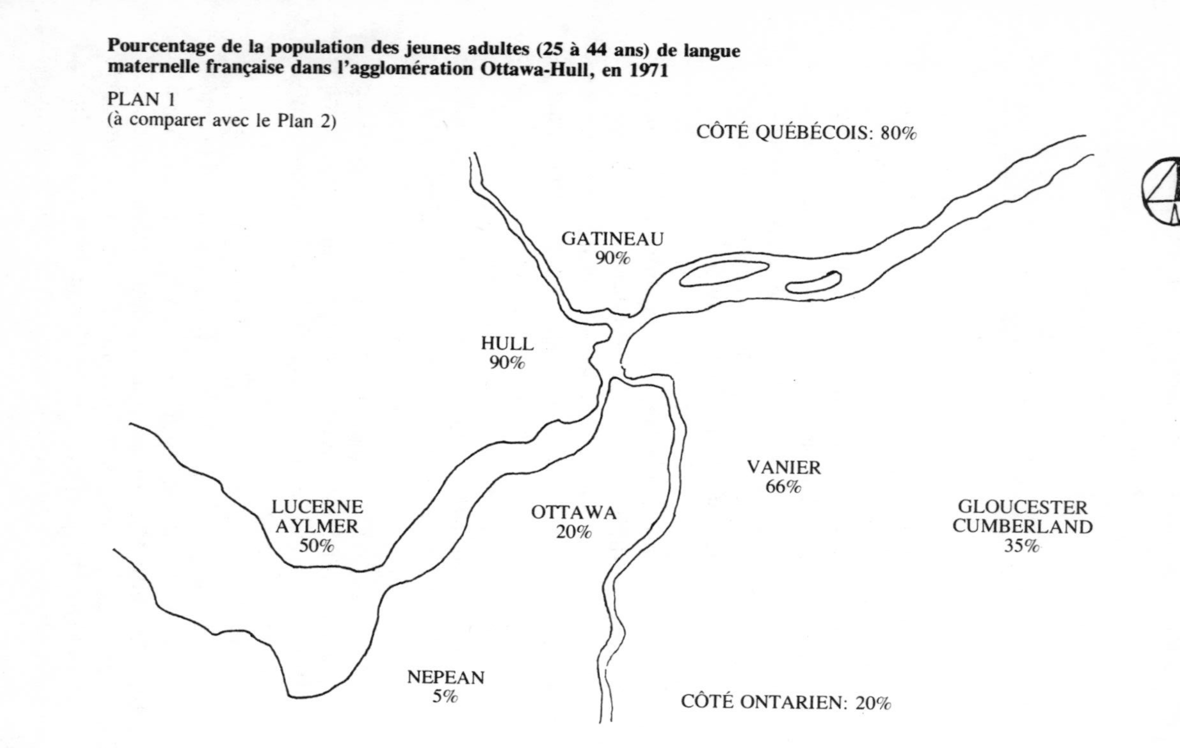

Source: Recensement du Canada, 1971. Analyse-synthèse par Charles Castonguay, Université d'Ottawa.

Taux d'anglicisation des jeunes adultes (25 à 44 ans) de langue maternelle française dans l'agglomération Ottawa-Hull, en 1971

PLAN 2
(à comparer avec le Plan 1)

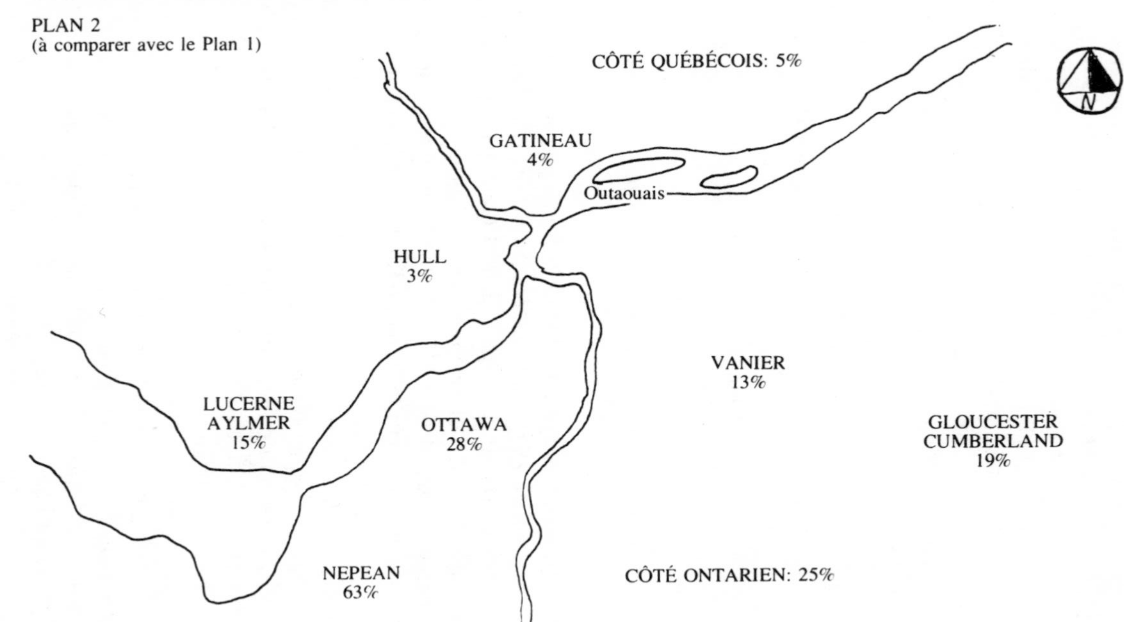

Source: Recensement du Canada, 1971, Synthèse par Charles Castonguay, Université d'Ottawa.

Au total, en 1971, il y avait 20,195 individus de langue maternelle française nés au Québec et habitant la région d'Ottawa, et 17,305 personnes de langue maternelle française nées en Ontario et habitant la région de Hull. Ajoutons qu'une proportion inconnue de l'immigration franco-ontarienne dans la région de Hull est plutôt factice. Un certain nombre de mères québécoises accouchent dans les hôpitaux d'Ottawa. Leurs enfants sont inscrits comme étant nés en Ontario, mais ils «émigrent» à peine quelques jours plus tard au Québec.

Contrairement à l'opinion généralement reçue, donc, en 1971 le Québec était déficitaire au profit de l'Ontario dans le bilan migratoire des personnes de langue maternelle française dans la région Hull-Ottawa. Ce déficit migratoire découle sans doute en majeure partie de l'attraction des emplois à la Fonction publique canadienne sur la population active de régions québécoises parfois assez lointaines.

2.2.4 L'évolution de la population de langue maternelle française, 1961-71 et 1971-76

La langue d'usage n'ayant malheureusement pas été demandée au recensement de 1976, nous ne pourrons faire état de l'évolution des transferts linguistiques dans l'Outaouais pendant la prise en mains du développement de la région hulloise par le gouvernement fédéral de 1971 à 1976. Pour obtenir une perspective diachronique sur la situation linguistique, il nous faudra donc nous rabattre sur la comparaison des données sur la langue maternelle obtenues aux recensements de 1961, 1971 et 1976. Pour définir de façon cohérente les régions métropolitaines de Hull et d'Ottawa, nous avons dû cette fois retenir leur délimitation territoriale selon les cartes de références utilisées par Statistique Canada en 1976.

Nous présentons d'abord au Tableau 4 la progression des groupes linguistiques pendant la première période. Retenons premièrement de ce tableau que de 1961 à 1971 le taux de croissance de la population totale de la région de Hull était à peu près identique à celui de la région d'Ottawa, soit 33,8% en regard de 31,2%. Deuxièmement, du côté d'Ottawa le taux de croissance du groupe anglais était un peu plus du double de celui du groupe français, soit 35,9% contre 15,7%. Et quatrièmement, le taux

Tableau 4

ÉVOLUTION DE LA COMPOSITION PAR LANGUE MATERNELLE DES RÉGIONS MÉTROPOLITAINES DE RECENSEMENT DE HULL ET D'OTTAWA, 1961 à 1971 (POURCENTAGES ENTRE PARENTHÈSES)

	Total	Anglais	Français	Autre
Région de Hull:				
1961	108,887 (100,0)	17,505 (16,1)	89,638 (82,3)	1,744 (1,6)
1971	145,690 (100,0)	22,715 (15,6)	119,990 (82,4)	2,985 (2,0)
Accroissement 1961-71	33,8%	29,8%	33,9%	71,2%
Région d'Ottawa:				
1961	361,411 (100,0)	242,536 (67,1)	90,672 (25,1)	28,203 (7,8)
1971	474,170 (100,0)	329,510 (69,5)	104,940 (22,1)	39,710 (8,4)
Accroissement 1961-71	31,2%	35,9%	15,7%	40,8%

de croissance de 33,9% du groupe français du côté de Hull était le double de 15,7% du groupe français de la région d'Ottawa.

Ces divers taux de croissance ont eu comme résultat que du côté de Hull, l'importance relative de la population de langue

Tableau 5

ÉVOLUTION DE LA COMPOSITION PAR LANGUE MATERNELLE DES RÉGIONS MÉTROPOLITAINES DE RECENSEMENT DE HULL ET D'OTTAWA, 1971 à 1976 (POURCENTAGES ENTRE PARENTHÈSES)

	Total	Anglais	Français	Autre
Région de Hull:				
1971	145,690 (100,0)	22,715 (15,6)	119,990 (82,4)	2,985 (2,0)
1976	171,950 (100,0)	28,484 (16,6)	139,184 (80,9)	4,282 (2,5)
Accroissement 1971-76	18,0%	25,4%	16,0%	43,5%
Région d'Ottawa:				
1971	474,170 (100,0)	329,510 (69,5)	104,940 (22,1)	39,710 (8,4)
1976	521,340 (100,0)	368,351 (70,7)	109,701 (21,0)	43,280 (8,3)
Accroissement 1971-76	9,9%	11,8%	4,5%	9,0%

maternelle française est restée essentiellement stable de 1961 à 1971, soit 82,3% en 1961 en regard de 82,4% en 1971, alors que du côté d'Ottawa le pourcentage du groupe français diminuait au total de 3,0%, passant de 25,1% à 22,1%. Les taux de croissance différentiels des groupes français québécois et ontarien ont d'autre part fait en sorte que si en 1961 les régions de Hull et d'Ottawa comptaient, comme l'avait observé la Commission BB, des populations à peu près égales de langue maternelle française, soit 89,600 contre 90,700 respectivement, à la fin de la décennie la région hulloise en comptait 120,000 contre 104,900 du côté d'Ottawa. Comme nous l'avons vu, dû à l'anglicisation différentielle la disproportion était en 1971 encore plus forte si on comparait les populations de langue d'usage française plutôt que de langue maternelle française.

Le Tableau 5 donne maintenant l'évolution des mêmes groupes entre 1971 et 1976. On observera d'abord que contrairement à la période précédente, et en bonne partie grâce à l'action du gouvernement fédéral, le taux global de croissance du côté de Hull a été pendant ce dernier quinquennat presque deux fois celui du côté d'Ottawa, soit 18,0% contre 9,9%. Cependant, et toujours contrairement à la croissance équilibrée de la période précédente, de 1971 à 1976 le taux de croissance du groupe anglais du côté de Hull a aussi été beaucoup plus élevé que celui du groupe français, soit 25,4% contre 16,0%. Par conséquent, l'importance relative de la population de langue maternelle française dans la région de Hull a diminué de 1,5%, passant de 82,4% en 1971 à 80,9% en 1976.

Pendant la période 1971-76, le gouvernement fédéral a donc manifestement gagné son pari de faire croître la population de la région hulloise beaucoup plus vite que celle du côté d'Ottawa. En fait, la région de Hull a connu pendant cette période le taux de croissance le plus élevé de toutes les régions métropolitaines du Canada. Mais comme c'était à prévoir, cette hypertrophie de la croissance de la population de la région hulloise s'est accomplie au détriment de son caractère français, le taux de minorisation de 1,5% en cinq ans du groupe français du côté hullois étant parfaitement équivalent à la baisse de 3,0% connue par la minorité française du côté d'Ottawa pendant la décennie précédente. En faisant porter du côté hullois le gros de la croissance dans la région de la capitale fédérale en 1971-76, le gouvernement fédéral a également exporté du côté de Hull le même taux de minorisation qu'avait connu la francophonie du côté d'Ottawa.

Notons enfin que de 1971 à 1976 le taux de croissance du groupe anglais de la région d'Ottawa est demeuré plus de deux fois celui du groupe français, soit 11,8% en regard de 4,5%, produisant une nouvelle diminution de 1,1% dans l'importance relative de la population de langue maternelle française à Ottawa, qui est passée de 22,1% à 21,0%. Le groupe français du côté hullois a donc connu pendant la période de 1971-76 une baisse en importance relative un peu plus forte, même, que celle du côté d'Ottawa, soit 1,5% contre 1,1% respectivement. Du point de vue du taux de croissance différentiel des deux groupes français, finalement, celui de la région de Hull a été plus de trois fois celui du côté d'Ottawa, soit 16,0% en regard de 4,5%, ce qui a porté la population totale de langue maternelle française du côté de Hull à 139,200 contre 109,800 du côté d'Ottawa.

2.2.5 Vers un Outaouais français ou un Outaouais bilingue?

Il est clair que la nouvelle donnée du 15 novembre 1976 aura une influence marquante sur l'évolution de la situation linguistique dans la région de Hull entre 1976 et 1981. Encore faudra-t-il que le gouvernement fédéral cesse de jouer à l'autruche, et fasse que la question sur la langue d'usage soit de nouveau posée au recensement de 1981, afin que l'on puisse constater avec un minimum de moyens, non pas seulement l'évolution des populations selon la langue maternelle, mais surtout l'orientation et l'ampleur des transferts linguistiques, indicateurs privilégiés de la composition linguistique à venir. Mais au-delà de telles échéances à court terme, il faudra surtout que les gouvernements de Québec et d'Ottawa arrivent à articuler entre eux une politique linguistique cohérente pour l'Outaouais, afin de conjurer définitivement le spectre de l'assimilation qui planait sur la région depuis quelque temps. Nous continuons à croire que seule une politique de bilinguisme territorial visant en particulier à établir le français comme langue véhiculaire incontestée dans la région de Hull, pourra efficacement à la fois sécuriser et mettre en valeur le fait français dans l'Outaouais.

Deuxième partie

Réflexions corollaires d'un urbaniste

Chapitre 3

L'ESPACE CULTUREL: RÉFLEXIONS

3.1 À la recherche d'un concept d'habitabilité

En premier lieu, j'essaierai de répondre à trois questions:
1) la ville d'Ottawa est-elle habitable pour un résident francophone?
2) dans l'agglomération urbaine d'Ottawa-Hull, y a-t-il, pour le francophone, des différences d'habitabilité entre le côté ontarien et le côté québécois?
3) quelles sont les conditions requises pour atteindre le degré d'habitabilité devant permettre à une communauté francophone de s'épanouir comme entité sociale, dans l'agglomération urbaine d'Ottawa-Hull?

Commençons notre analyse par une quatrième question: la ville d'Ottawa est-elle habitable pour un résident anglophone? Cette question — abstraction faite de l'humour noir qu'elle contient —, est utile en ce qu'elle nous amène à établir, au départ, une distinction importante entre l'espace urbain et l'espace culturel. La qualité de ces deux espaces et leur superposition harmonieuse constituent les éléments primaires de ce que j'appellerais, — avec un brin de prétention — le concept d'habitabilité.

Mais si j'essaie d'appliquer ce concept à la ville d'Ottawa, je me heurte à une difficulté imprévue: en effet, cette ville peut fort bien être habitable pour un anglophone unilingue, d'une part, et parfaitement inhabitable pour un francophone bilingue, d'autre part. Il faut donc, dans le cas où deux groupes linguistiques co-existent dans le même espace urbain, ajouter des éléments secondaires au concept d'habitabilité. Ces éléments sont des rapports de forces qui se développent entre deux communautés entremêlées: par exemple, la tendance naturelle pour le groupe majoritaire d'occuper tout l'espace culturel et d'imposer sa langue au groupe minoritaire.

Oublions un instant la dualité ethnique de la ville d'Ottawa, pour considérer, en premier lieu, les éléments primaires du concept d'habitabilité. L'habitabilité d'une ville, c'est essentiellement l'organisation harmonieuse de son espace, c'est la qualité des rapports qui se tissent entre une population et un espace urbain plus ou moins délimité. Le mode d'utilisation de cet espace détermine en bonne partie la qualité de son habitabilité. L'art et la science de l'organisation de l'espace urbain a engendré la profession d'urbaniste.

Mais l'urbanisme a beaucoup évolué depuis l'époque où l'architecte-urbaniste Jacques Gréber présentait au Gouvernement du Canada, en 1950, son «Projet d'aménagement de la Capitale nationale» (Plan Gréber). Alors que le Plan Gréber pour Ottawa est un des derniers plans directeurs d'urbanisme se situant dans la tradition de l'art urbain de Versailles — «la ville est l'antichambre du Roy» — et de la City Beautiful des Anglo-Saxons, l'urbanisme de 1978 est, pour ainsi dire, descendu dans la rue et conteste un système urbain de plus en plus frustrant et anonyme.

Les comités de citoyens ne sont pas un phénomène passager et l'urbaniste est désormais coincé entre son client de la classe dominante et les classes dominées. «Théoriquement — écrit Lithwick — on pourrait s'attendre à ce que le gouvernement local soit le porte-parole des désirs locaux; en fait, il existe des raisons de s'interroger sur cette supposition. Par exemple, dans la rénovation urbaine, domaine de plus en plus litigieux, il est devenu évident que le gouvernement local avait tendance à agir beaucoup plus dans l'intérêt des groupes puissants et qui s'expriment volontiers, — les élites, les financiers, les hommes d'affaires — sans tenir compte des intérêts des faibles, bien que leurs groupes soient, généralement, les plus importants. Une attitude semblable s'est révélée dans la politique locale, en ce qui concerne la planification des autoroutes et du zonage des terres.»[47]

Pour revenir au Plan Gréber, on aura noté, à la lecture de la première partie du présent ouvrage, que la plupart de ses propositions ont été mises en oeuvre et qu'elles sont devenues une réalité à la fois heureuse et malheureuse. Heureuse, parce que cette ville flotte littéralement sur les cours d'eau et la verdure; malheureuse, parce que cette ville est le symbole quotidien de la domination d'un des deux peuples fondateurs de ce grand pays.

Fidèle à son mandat d'embellir la capitale canadienne, Gréber attachait une importance capitale à la suppression des laideurs apparentes qui ont effectivement été supprimées aux dépens des pauvres et du petit peuple de la basse-ville d'Ottawa et de l'île de Hull. En supprimant la prétendue laideur, on sabotait la base économique de l'île de Hull, par la démolition de l'usine de papier de la Compagnie Eddy, gagne-pain principal du peuple francophone; en supprimant les voies ferrées, on supprimait la gare centrale d'Ottawa et on rétrogradait lamentablement dans le domaine du transport en commun, tout en favorisant malencontreusement l'invasion du centre-ville par la marée automobile; en proposant des percées routières au centre-ville — boulevard King Edward à Ottawa, boulevards Maisonneuve, Laramée, St-Laurent et Sacré-Coeur à Hull — on tranchait le coeur des quartiers populaires et on aggravait la pauvreté urbaine.

Or, la pauvreté urbaine est le plus sérieux problème que doit résoudre l'urbanisme actuel, car si la pauvreté a peut-être diminué quantitativement dans les villes, il semble que la minorité urbaine qui croupit dans la pauvreté, soit de plus en plus pauvre et démunie moralement. La pauvreté urbaine est d'autant plus pénible qu'elle est principalement le lot des vieillards et des handicapés physiques ou moraux qui ne peuvent travailler. Il existe un cercle vicieux pauvreté-logement-transport-pauvreté. Or, ces problèmes d'habitabilité de l'espace urbain sont le plus souvent considérés et «solutionnés» séparément par les décideurs politiques, les fonctionnaires et les urbanistes à leur emploi. On ne peut espérer rendre l'espace habitable pour tous les citadins — particulièrement, les plus démunis — si on ignore l'interdépendance qu'il y a entre la pauvreté urbaine, le logement et le transport en commun.

«Ici, écrit Lithwick, se révèle brutalement le dilemme du problème de l'interdépendance. «Guérir» le problème des transports sans tenir compte du choix de l'emplacement des quartiers domiciliaires, c'est le vouer à l'échec, tout comme une politique de l'habitation qui ne se préoccupe pas de la question des transports est sans avenir. Cependant, la politique de l'habitation a été conduite jusqu'ici comme si le problème des transports n'existait pas; (. . .)

> «La question de la pauvreté urbaine est plus problématique, mais elle est étroitement liée au processus central d'urbanisation. (. . .) Les familles ne disposant que d'un faible revenu n'ont qu'un choix quant aux emplacements. (. . .) Vivre en banlieue est tout simplement impossible, car la plupart des familles à faible revenu ne peuvent s'offrir une voiture, moyen de transport indispensable dans ce cas. En l'absence d'un service de transport en commun rapide et bon marché, ces gens sont obligés de s'installer à proximité de la périphérie du centre-ville.»[48]

De ces considérations générales et exploratoires, il semble que la disparition de la pauvreté urbaine soit l'élément préliminaire et fondamental d'un concept d'habitabilité: c'est-à-dire que chaque citoyen devrait jouir d'un minimum vital de confort matériel et moral. Voilà le rez-de-chaussée du concept d'habitabilité. Viendra s'y superposer, par la suite, le premier étage constitué par le bien-être individuel et collectif au plan de la langue et de la culture.

On peut donc répondre immédiatement à la quatrième question que je posais au début de ce chapitre: la ville d'Ottawa est-elle habitable pour un résidant anglophone? La ville d'Ottawa est habitable pour la plus grande partie de ses résidants anglophones. Cependant, si on ne considère que le «rez-de-chaussée» du concept, on se rend compte que la ville d'Ottawa est effectivement inhabitable pour les minorités anglophones et francophones qui croupissent dans la pauvreté urbaine.

Avant de poursuivre plus avant cette analyse, essayons de répondre brièvement aux trois premières questions formulées au tout début du présent chapitre, en utilisant les deux paliers du concept d'habitabilité: 1) confort matériel et moral au rez-de-chaussée; 2) confort linguistique et culturel à l'étage.

La ville d'Ottawa est-elle habitable pour un résidant francophone? Au rez-de-chaussée du concept, on constate que les francophones économiquement faibles pour qui la ville est inhabitable, sont plus nombreux que les anglophones qui sont dans la même situation de pauvreté urbaine. On verra plus loin que la non accessibilité à un logement confortable est un indice-clef de cette pauvreté urbaine et que les bouleversements récents qui se sont produits dans les quartiers anciens d'Ottawa et de Hull — cibles préférées de la rénovation urbaine — ont aggravé considérablement la pauvreté urbaine par la démolition de logements à bon marché. Quant à l'autre volet du concept d'habitabilité, il semble que la ville d'Ottawa soit linguistiquement et culturellement inhabitable pour de très nombreux francophones, puisque ces derniers ont adopté l'anglais comme véhicule de communications à l'extérieur du cercle restreint de leurs intimes et de leurs connaissances francophones.

Qu'il me soit permis d'ouvrir ici une parenthèse au sujet de l'espace culturel — dont il sera question plus loin — qui fait partie intégrante du concept d'habitabilité. En effet, si les francophones d'Ottawa, de façon générale, utilisent l'anglais pour leurs communications anonymes, cette pratique fait boule de neige et restreint considérablement leur espace culturel. Pourquoi les anglophones apprendraient-ils le français puisque l'anglais est la langue des affaires et des communications à Ottawa? En conséquence, n'appartient-il pas à la minorité francophone de devenir bilingue? D'autre part, en imposant sa langue dans toutes les communications, la majorité anglophone unilingue d'Ottawa oblige de facto la minorité francophone à utiliser l'anglais sur la place publique. Le bilinguisme, à Ottawa, est donc très majoritairement l'affaire des seuls francophones et ce bilinguisme, à la longue, constitue un empiètement très dangereux sur l'espace culturel des francophones. La conséquence finale de cet empiètement, c'est le transfert linguistique définitif du français à l'anglais. C'est l'assimilation pure et simple, d'un nombre croissant de francophones d'Ottawa et d'Aylmer-au-Québec, comme l'a démontré Charles Castonguay dans la première partie du présent ouvrage.

S'acharner à ne parler que français à Ottawa, c'est une expérience pénible que j'ai tentée à quelques reprises et je comprends les autochtones francophones de cette ville amphibologique, d'avoir «switché» à l'anglais; parler français dans les rues d'Ottawa, c'est un dialogue de sourds avec des colonnes de béton. Si, au moins, les Hullois avaient l'intelligence de répondre en français aux anglophones qui les interpellent en anglais dans les rues de Hull! Car, ce qui est désespérant dans la Vallée de larmes de l'Outaouais, c'est le comportement minoritaire et servile de la majorité francophone du côté québécois de la rivière. Un jour que j'attendais l'autobus, rue Laurier, à Hull, un brave fonctionnaire francophone me posa une question sur l'horaire compliqué des autobus hullois; tandis que provisoirement muet, je cherchais la réponse dans ma tête, mon interlocuteur répéta machinalement sa question en anglais, croyant sans doute que j'étais anglophone unilingue: encore un peu et il s'excusait de m'avoir adressé la parole en français en plein coeur de Hull!

Fermons cette parenthèse en répétant, après tant d'autres observateurs lucides de la comédie canadienne, que le bilinguisme pratiqué à Ottawa est aux antipodes de l'égalité linguistique. Quand les politiciens laissent entendre que le bilinguisme signifie l'égalité linguistique au Canada, ils bernent une fois de plus l'électorat. D'ailleurs, l'égalité linguistique est un mythe. Les pays bilingues comme la Suisse, la Belgique et le Canada sont essentiellement formés de zones unilingues. Cette considération nous amène naturellement à répondre à la deuxième question posée au début de ce chapitre: dans l'agglomération urbaine d'Ottawa-Hull, y a-t-il pour le francophone, des différences d'habitabilité entre le côté ontarien et le côté québécois? Si on considère l'existence d'une pauvreté urbaine aggravée par la démolition massive de logements bon marché dans l'île de Hull, on doit répondre que «l'inhabitabilité», pour bon nombre de francophones, est aussi pénible d'un côté comme de l'autre de la rivière des Outaouais. Par contre, sur le plan du confort linguistique et culturel, le côté québécois est beaucoup plus habitable pour les francophones, du fait qu'ils y sont — sauf à Aylmer — majoritaires à près de 80 pour cent. Cependant, il reste que les équipements sociaux (soins médicaux, en particulier) et culturels (presse, cinéma, théâtre, etc.) laissent beaucoup à désirer du côté québécois de l'agglomération urbaine d'Ottawa-Hull.

Il nous reste à examiner brièvement la troisième question: quelles sont les conditions requises pour atteindre le degré d'habitabilité devant permettre à une communauté francophone de s'épanouir comme entité sociale, dans l'agglomération urbaine d'Ottawa-Hull?

Voici, en gros, l'opinion de Douglas Fullerton:

> «(...) Et je me permettrai, en raffinant les fondements philosophiques de la Commission B.B., d'introduire un concept nouveau: le «principe de la concentration raisonnable», ou «P.C.R.». Il consiste en gros à promouvoir le regroupement des francophones à l'intérieur d'enclaves

mais dans la mesure où c'est pratique. Le P.C.R. risque d'autant plus de paraître rébarbatif à première vue, qu'il ne manquera pas d'évoquer l'idée de ghettos canadiens-français et qu'on y verra l'érection de murailles là où l'on tente de les démolir. À cela, je rétorquerai que l'édification de la compréhension mutuelle entre les cultures n'est possible que si les parties éprouvent un sentiment de sécurité quant à leur propre identité, que ce n'est que lorsqu'une communauté ne craint plus rien qu'elle peut s'épanouir et que la concentration ou le regroupement représente le meilleur moyen qu'on ait trouvé jusqu'ici de contrer l'assimilation».[49]

Cette opinion de Douglas Fullerton apporte un éclairage nouveau à ma recherche d'un concept d'habitabilité pour les communautés francophones de l'Outaouais. Fullerton précise mon idée de confort linguistique et culturel, quand il déclare qu'une communauté a besoin d'éprouver un sentiment de sécurité quant à sa propre identité. Oui, Fullerton a raison: pas de confort culturel possible sans une identité nationale claire et sécure. Et il est un peu comique de constater que le sympathique Fullerton utilise, dans le même paragraphe, le vocable désuet de «canadien-français» qui démontre précisément l'insécurité de l'identité collective ou nationale des communautés francophones au Canada. Et il est désespérant de constater que tant de «Canadians» instruits n'aient pas encore compris qu'il n'y a rien de «séparatiste» dans le fait que beaucoup de francophones — à la recherche de leur identité — se désignent comme «québécois», plutôt que comme «canadiens» ou «canadiens français». À propos, je ne puis résister à la tentation de citer au texte intégral une anecdote suave rapportée par Guy Joron:

> «Une amie m'a raconté l'anecdote suivante dont elle fut témoin dans un hôpital de Londres: une ambulance venait d'y amener une femme, légèrement blessée apparemment, à qui une infirmière responsable des inscriptions posait les questions d'usage. À la question «nationalité?» la patiente répondit «French Canadian». L'infirmière, surprise, déroutée et insatisfaite de cette double réponse équivoque demanda à nouveau: «French OR Canadian?» La patiente répéta «French Canadian». Ne voulant pas l'importuner davantage, l'infirmière, n'y comprenant rien, n'inscrivit aucune réponse, se disant qu'elle pourrait compléter son

dossier le lendemain et élucider ce mystère en invitant encore une fois la patiente, cette fois plus reposée, à faire son choix. La pauvre mourut avant que l'occasion d'en décider lui fut à nouveau présentée.»[50]

À la fin de son étude, Douglas Fullerton fait des suggestions intéressantes concernant l'habitabilité des communautés linguistiques dans l'agglomération urbaine d'Ottawa-Hull.

Ainsi, Fullerton recommande qu'à l'occasion du déménagement à Hull de ministères ou d'organismes fédéraux, le Gouvernement du Canada» (. . .) accorde la priorité à ceux qui emploient une proportion relativement élevée de francophones et qu'il étudie particulièrement la possibilité d'implanter plusieurs institutions culturelles nationales du côté québécois de la région.» (p. 247)

Sans mentionner le mythe et le fiasco actuel du bilinguisme dans la Fonction publique fédérale à Ottawa et à Hull, Fullerton recommande, avec beaucoup de réalisme et de gros bon sens, que «(. . .) le gouvernement fédéral mette plutôt l'accent sur la lecture et la compréhension de l'autre langue, que sur l'expression et la rédaction, qui sont plus difficiles: (. . .)» (p. 247)Pour protéger les minorités linguistiques et satisfaire aux exigences du gouvernement fédéral en matière de bilinguisme, Fullerton suggère de «(. . .) garantir à chacun la possibilité de s'instruire dans la langue de son choix, mais viser en même temps à ce que tous les diplômés des écoles secondaires soient au moins «passivement» bilingues, c'est-à-dire qu'ils puissent lire et comprendre les deux langues; (. . .)» et de «(. . .) s'efforcer sérieusement d'attirer vers une région déterminée les anglophones qui choisissent d'aller habiter du côté québécois, suivant le principe «de concentration raisonnable». (. . .) Cette région pourrait être celle d'Aylmer-Lucerne si, par exemple, on optait pour le régime des arrondissements. Une telle concentration aurait pour effet de renforcer la prédominance des francophones dans les autres régions du secteur québécois. Une tentative semblable pourrait être faite du côté ontarien par la création d'un arrondissement à prédominance française qui engloberait, par exemple, Vanier, la Basse-Ville, la Côte-de-sable et une partie du canton de Gloucester.»[51]

Il y a un brin de cynisme dans ces propos candides de Douglas Fullerton. La zone d'Aylmer-Lucerne est déjà dominée par les anglophones qui, bien qu'encore minoritaires à 45% environ, imposent leur langue partout et le taux de transfert linguistique du français à l'anglais — c'est-à-dire l'assimilation pure et simple — y est déjà de 15%, comparativement à 3% à Hull et 5% à Gatineau. Du côté ontarien, d'autre part, Vanier est une petite ville au bord de la banqueroute, la Basse-Ville a été partiellement rasée par les urbanistes et la rénovation urbaine déloge peu à peu les francophones devenus minoritaires, semble-t-il. Quant à la Côte-de-sable qui fut, au temps de ma jeunesse errante, l'Outremont de la bourgeoisie francophone d'Ottawa, son seul espoir d'habitabilité serait que l'Université d'Ottawa devienne résolument et rapidement unilingue francophone. Douglas Fullerton est trop bilingue et trop perspicace pour ne pas sentir que, dans l'Outaouais, ce sont les majorités francophones de Vanier, de Hull, de Gatineau et d'Aylmer qui sont en danger et non pas les minorités anglophones paisiblement installées dans les plus beaux coins du secteur québécois. Ce brave Fullerton écrit encore, sans broncher:

> «La réaction des anglophones envers le programme fédéral de bilinguisme est en partie négative, car ils le considèrent comme une entrave sérieuse à l'avancement de ceux qui sont incapables d'apprendre le français ou trop vieux pour se donner la peine de le faire. En outre, les anglophones vivant en territoire québécois se préoccupent de plus en plus de leur droit inaliénable d'élever leurs enfants dans leur propre langue et de leur position minoritaire dans une province où on encourage de plus en plus la prédominance du français.»[52]

Est-il nécessaire d'ajouter que dans tout le Canada hors Québec, y compris la capitale fédérale dite bilingue, les anglophones ont le droit «inaliénable» de forcer les francophones à travailler en anglais et à s'intégrer socialement à la majorité anglophone? Est-il nécessaire d'ajouter que les anglophones, y compris Fullerton, refusent ce même droit «inaliénable» aux francophones, dans leurs seules patries québécoise, acadienne ou nord-ontarienne?

Un élément vital du concept d'habitabilité, c'est la *langue de travail* et la *langue des communications*. Cette langue doit être la même que celle parlée à la maison et à l'école. Un pays devient inhabitable quand le citoyen du dit pays est obligé de travailler et de communiquer dans une autre langue que sa langue maternelle ou langue d'usage à la maison et à l'école. C'est, hélas! le cas d'une grande partie de la population active francophone de l'Outaouais.

Ne pouvoir travailler en français au Canada, dans une région majoritairement francophone, c'est là une des racines fondamentales de la chicane sempiternelle et suicidaire entre Québécois «séparatistes» et Québécois «fédéralistes», c'est la différence entre la dépendance et l'indépendance, c'est la différence entre la putasserie linguistique et la dignité.

La langue de travail, c'est vital pour l'épanouissement normal de la culture d'un peuple, car la culture, c'est aussi l'homme et la femme au travail.

La culture est une affaire d'autant plus importante pour les Canadiens francophones qu'ils constituent, sauf au Québec, une minorité de plus en plus minoritaire, démographiquement et psychologiquement. Si la cohérence et la dignité de la culture sont vitales pour les Outaouais québécois non encore assimilés, c'est qu'ils se perçoivent comme une *majorité minoritaire*, alors que les minorités anglophones à Montréal et à Hull se perçoivent comme une *minorité majoritaire*, ce qui est, en vérité, l'exacte réalité.

Comme l'écrit Guy Rocher dans son remarquable ouvrage sur le Québec en mutation, «(. . .) la Confédération n'a pas favorisé (. . .) l'expansion du français à travers le Canada. Bien au contraire, le français a été progressivement refoulé jusqu'aux limites de la province de Québec. Or, voilà que maintenant apparaît une nouvelle menace, qui vient celle-là du Québec même: les minorités ethniques établies au Québec adoptent la langue de la minorité anglophone. (. . .) Ainsi donc, pendant que les minorités d'origine française hors du Québec sont sans cesse grugées par l'anglicisation, les minorités ethniques du Québec grossissent les rangs de la population anglophone. (. . .)

«Dans ce contexte, on peut conjecturer sur le temps qu'il faudra pour que les francophones voient le pouvoir politique au Québec, le seul qu'ils détiennent, leur échapper progressivement. Il n'est même pas besoin pour cela que la population anglophone dépasse la moitié de la population totale du Québec. Il suffit qu'elle en vienne à détenir une sorte de balance du pouvoir, en plus de jouir, comme c'est déjà le cas, d'un large pouvoir économique.»[53]

Dans les domaines de juridiction fédérale, comme la sécurité aérienne, par exemple, on constate la vulnérabilité extrême du français dans l'espace aérien du Québec.

Or, la triste Affaire des Gens de l'Air a sa place dans mon dossier, à cause de ses répercussions dans une zone frontalière bilingue qui comptera bientôt deux aéroports pour passagers: l'aéroport international d'Ottawa et l'aéroport régional de Gatineau. C'est pourquoi il m'apparaît utile de reproduire ici des extraits d'une lettre[54] que je rédigeai par un beau soir d'été, à Noranda, au pied de la cheminée la plus haute et la plus polluante du Québec. Intitulée: «Le bilinguisme: Tour de contrôle ou Tour de Babel?», cette missive peut-être trop agressive se voulait une réponse au pittoresque député de Matane à la Chambre des Communes, qui s'illustrait alors comme le Don Quichotte réacté de la «crise» du bilinguisme aérien, crise qui provoqua la démission du Ministre Jean Marchand.

Ce que le député Pierre de Bané oubliait de dire dans la longue lettre ouverte à ses électeurs, publiée dans *Le Devoir* du 20 août 1976, c'est que la langue internationale des communications air-sol est la même que celle parlée majoritairement sur la presque totalité du sol canadien. Donc, les contrôleurs aériens canadiens, en dehors des régions francophones du Canada, ne seraient pas tenus d'être bilingues. Ce raisonnement — qui semble être le raisonnement plus ou moins confidentiel de la majorité anglophone au Canada — m'apparaît réaliste et cohérent.

Cependant, ce qui m'apparaît injuste et intolérable, c'est le refus des contrôleurs aériens anglophones d'accepter le bilinguisme dans les communications air-sol au Québec, ce qui provoque la juste indignation des Gens de l'Air du Québec.

Bien qu'ils aient défié le Gouvernement fédéral, fait une grève illégale et posé des conditions invraisemblables pour retourner au travail, le Gouvernement du Canada a reculé et il s'est agenouillé devant le chantage des contrôleurs aériens anglophones que le ministre Jeanne Sauvé a traité publiquement de «fanatiques». Pourquoi le Gouvernement a-t-il reculé? Le député fédéral de Matane ne répond pas à cette question capitale.

La langue parlée et écrite, c'est beaucoup plus qu'un moyen de communication et le bilinguisme déborde rarement ce lit superficiel. La langue, c'est le véhicule de la pensée créatrice, de l'identification d'une société, de l'épanouissement de son devenir collectif. La langue, c'est pour ainsi dire, la respiration nationale d'un peuple et tout peuple normal qui atteint l'âge adulte a besoin, tôt ou tard, de l'oxigène de la souveraineté politique.

Or, la majorité anglophone au Canada comprend d'instinct que la souveraineté canadienne est indivisible et que, conséquemment, toute tentative de partage de cette souveraineté entre Canadiens anglophones et Canadiens francophones, lui est intolérable.

Comment expliquer autrement que nos compatriotes anglophones — si imbus de civisme et du respect des lois —, n'aient pas protesté contre l'affront humiliant et illégal que la CALPA et la CATCA viennent d'infliger à leur gouvernement national d'Ottawa? Serait-ce que l'application pratique de la Loi sur les langues officielles est ultra-vires, en ce sens qu'elle menacerait à long terme, l'indivisible souveraineté pan-canadienne de la majorité anglophone et le quasi-monopole des *jobs* payantes et traditionnellement unilingues anglaises? Le gouvernement fédéral a-t-il été forcé de reculer parce que le rêve bilingue du premier ministre Trudeau allait décidément trop loin et qu'il menaçait «l'unité nationale»?

Si je comprends quelque chose à la politique intérieure du premier ministre Trudeau, il y aurait au pays, un seul peuple canadien, deux langues officielles et un nouveau gadget nommé le «multiculturalisme» canadien.

Or, il semble que le député fédéral de Matane a le mal du pays et la nostalgie de la «théorie des deux peuples fondateurs» (du Canada), théorie qui a été rejetée par son chef, le premier ministre Pierre-Elliott Trudeau qui croit, en parfaite logique «canadian», que la souveraineté politique du Canada est indivisible et que le gouvernement qu'il dirige est le gouvernement national de tous les Canadiens (take it or leave it).

Étant donné que cette nation canadienne unique — dont la capitale nationale porte désormais le nom ineffable d'Ottawa-Hull — est de plus en plus majoritairement anglophone et peu douée pour l'étude des langues, n'est-il pas naturel que cette société cherche à étendre — au sens d'imposer — sa langue partout où elle s'installe sur le territoire canadien? Et si les francophones ne s'anglicisent pas aussi rapidement que les immigrants, qu'à cela ne tienne! on fera des districts bilingues. Le bilinguisme canadien se révèle, à l'expérience, un bilinguisme à sens unique: c'est qu'un peuple majoritaire a une tendance viscérale à imposer sa langue à tout autre peuple minoritaire habitant le même territoire. Le bilinguisme à la canadienne serait-il devenu le nouvel opium québécois?

Dans l'interminable débat constitutionnel qui risque de diviser profondément les Québécois, alors que les positions se durcissent entre fédéralistes et souverainistes, le livre de Luc-Normand Tellier[55] apparaît comme un effort d'«imagination sociologique», tel que souhaité par Guy Rocher dans son Québec en mutation[53]. Dans un style limpide et serein, l'auteur démontre que les thèses fédéralistes et souverainistes ne sont pas irréconciliables et que le bonheur futur du Canada est affaire de sang froid et d'imagination créatrice.

Il s'agit essentiellement, selon Luc-Normand Tellier, de «dédramatiser» le cauchemar canadien en augmentant le nombre des acteurs et en élargissant le cadre de la future confédération qui, de canadienne, deviendrait nordique. Cette solution originale et constructive permettrait au Québec d'accéder à la souveraineté-association sans traumatiser ses provinces-soeurs, et ce, dans une confédération élargie, où aucun des partenaires ne pourrait dominer les autres par une majorité absolue. Bien plus, les Canadiens anglophones auraient enfin leur État national bien à eux à Ottawa. Ou encore, si bon leur semble, des États nationaux ou régionaux souverains: Maritimes, Ontario, Prairies, Rocheuses, à l'échelle du Québec et des nouveaux partenaires scandinaves.

Q'en est-il de ce cul-de-sac canadien? C'est que le peuple «canadian» (aussi menacé d'être avalé par l'assimilation américaine, que le peuple québécois l'est par la majorité «canadian») considère de plus en plus le gouvernement fédéral comme son État national, ce qui ne peut conduire qu'à la sécession du Québec ou à sa disparition inéluctable. Désillusionné par le mythe de l'amitié canado-américaine, inquiet de l'omniprésence américaine et de la satellisation de l'économie canadienne, le Canada anglais a engendré un mouvement nationaliste «canadian» qui débouche sur l'impasse actuelle d'un fédéralisme inacceptable aux deux nations qui composent le Canada.

En rejetant publiquement, en 1968, le concept des deux nations canadiennes, des «deux peuples fondateurs», le Gouvernement Trudeau s'est fait élire une première fois au Canada anglophone en agitant la bannière du One Country, One Nation. Mais ce faisant, il s'est enfermé dans une ambiguïté fondamentale dont il est toujours prisonnier et dont la triste Affaire des Gens de l'Air est le syndrôme le plus grave. Bref, l'ambiguïté propagée par le Gouvernement Trudeau, c'est, d'une part, la réduction de la nation canadienne francophone à une question linguistique et d'autre part, la tendance de plus en plus marquée du Gouvernement fédéral à devenir l'État national du Canada anglophone, de la même manière que l'Assemblée nationale du Québec est devenue, par la force des choses, un semblant d'État national pour le peuple canadien francophone.

En somme, le Canada anglophone aspire lui aussi à la souveraineté — vis-à-vis les États-Unis —, bien que de façon plus diffuse que le Canada francophone. Et puisque la Confédération canadienne est à repenser de fond en comble, pourquoi n'y aurait-il pas place pour une souveraineté-association du Québec à l'intérieur d'une confédération véritable cette fois, ou mieux encore, à l'intérieur d'une confédération élargie à l'ensemble des pays nordiques? C'est-à-dire en invitant un ou des pays scandinaves à se joindre au Canada et au Québec.

En effet, parmi les avantages d'un regroupement confédéral canado-scandinave, l'auteur mentionne que ce nouveau cadre politique permettrait de résoudre de façon sereine les problèmes intérieurs du Canada et des pays scandinaves. Ainsi, précise Luc-Normand Tellier: «(. . .) une restructuration fondamentale du Canada passant possiblement par la souveraineté québécoise trouverait une voie inespérée qui éviterait à la fois les affrontements lourds de conséquences et l'émiettement qui ne saurait profiter qu'aux États-Unis. Dans un contexte nordique, la peur du séparatisme québécois céderait le pas à un souci de trouver des arrangements qui respectent le désir légitime d'autodétermination des groupes nationaux, puisque trois des cinq nations scandinaves, soit la Norvège, l'Islande et la Finlande, ont pacifiquement et démocratiquement accédé à l'indépendance au cours du XXe siècle sans que ni fascisme, ni communisme, ni dépression, ni effondrement n'apparaissent.»[55]

En partant du postulat sous-jacent qu'une véritable confédération est une association libre d'États souverains, il devrait y avoir moyen d'en arriver à une réconciliation féconde des fédéralistes et des souverainistes, point de départ préalable à toute réforme constitutionnelle de l'ensemble canadien et, possiblement, du monde nordique. Cet élargissement du cadre politique suppose un élargissement bénéfique de deux nationalismes voués, dans la conjoncture actuelle, à l'affrontement stérile: le nationalisme «canadian» et le nationalisme québécois.

La Confédération nordique préconisée par Luc-Normand Tellier, c'est une idée généreuse et susceptible de réunir une avant-garde de fédéralistes et de souverainistes au sein d'un idéal commun, d'un projet collectif d'une grande richesse humaine et politique. Pourquoi ne fonderait-on pas, au niveau fédéral, un parti politique — le Parti nordique — qui aurait pour but de promouvoir à la Chambre des Communes cette idée créatrice d'un regroupement d'États souverains, dont le Québec, au sein d'une confédération authentique et élargie à l'échelle du monde nordique?

Même si cette idée d'une Confédération nordique s'avérait une utopie — Oscar Wilde a écrit quelque part: «Progress is the realization of utopias» —, la leçon nordique devrait être une inspiration pour le Gouvernement fédéral canadien. En effet, les États souverains que sont la Suède, la Norvège, le Danemark, la Finlande et l'Islande n'ont-ils pas démontré qu'il était possible de créer une association féconde de pays indépendants et parlant des langues différentes? Au sein du Conseil nordique, une assemblée annuelle formée de 78 parlementaires venant des cinq Parlements nationaux, «(. . .) ces cinq pays ont réussi à créer une citoyenneté unique, à harmoniser leurs législations sociales et commerciales, leurs codes civil et criminel, leur programmes d'enseignement et leurs diplômes, à assurer la transférabilité des services sociaux (soins médicaux, congés de grossesse, allocations, pensions, lois du travail), à coordonner leurs réseaux électriques et leurs systèmes de transport ferroviaire, aérien et de communication, à lancer un satellite de télévision, à intégrer leurs tarifs postaux, à organiser des échanges d'étudiants. Et leur commerce intérieur progresse deux fois plus rapidement qu'avec les autres pays.»[55]

Hull, ville divisée, préfigure déjà la division intérieure et démoralisante du Québec francophone tout entier, division stérile qui se polarise actuellement entre «fédéralistes» et «séparatistes», division, hélas! qui risque de conduire à l'intolérance et à un gaspillage d'énergie vitale qui peut être catastrophique pour un peuple minoritaire. Cette division intestine n'est-elle pas la pire forme de pollution culturelle qui sévisse au Québec?

3.2 Hull, ville divisée?

Premier mai 1976: la *Communauté régionale de l'Outaouais* (CRO) dévoile son schéma d'aménagement du territoire. Le leitmotiv presque désespéré de ce schéma, c'est l'urgence pour les Outaouais de récupérer leur identité francophone au sein d'une capitale régionale qui puisse générer une autonomie minimum face à l'envoûtement d'Ottawa.

Quinze novembre 1976: le *Parti Québécois* devient le nouveau gouvernement du Québec à l'Assemblée nationale, avec une majorité impressionnante. Après un long suspense symptômatique d'une ville divisée, le député péquiste de Hull est finalement déclaré élu par une majorité de . . .2 voix.

Ces deux dates m'apparaissent, à tort ou à raison, aussi inséparables l'une de l'autre, que le sont l'aménagement du territoire du pouvoir politique. En effet, une politique d'urbanisme ne peut se concrétiser sans un ensemble de décisions politiques cohérentes, c'est-à-dire par des pouvoirs décisionnels qui ne sont pas neutralisés par un chevauchement de juridictions concurrentielles.

On peut se demander sérieusement si la rive gauche de l'Outaouais vit à l'heure du Québec et si Hull est une banlieue d'Ottawa. Bien qu'elles forment une agglomération urbaine de près de 150,000 habitants — dont la langue d'usage est encore le français —, les villes-soeurs de Gatineau et de Hull sont dépourvues d'équipements structurants adéquats: les services ferroviaires — passagers sont à peu près inexistants, les services d'autobus interurbains sont minables et il vous en coûte temps et argent pour aller prendre le train ou l'avion à Ottawa. Pour des services éducatifs, culturels et médicaux adéquats, il faut souvent aller à Ottawa. Quant au transport-en-commun de la Commission de transport de la Communauté régionale de l'Outaouais, on constate que tous ses circuits d'autobus se baladent dans les rues du centre-ville d'Ottawa. Pas étonnant que l'Outaouais québécois soit à la recherche de son identité et de . . . son centre-ville.

Le peuple francophone de l'Outaouais québécois — car il existe aussi un Outaouais québécois anglophone unilingue! — est deux fois colonisé: par les Anglophones d'Ottawa, d'une part, qui possèdent la plus grande partie des sites de villégiature dans les montagnes de la Gatineau, qui se défoulent à Hull ou se rincent l'oeil devant les écrans pornographiques hullois dont deux cinémas («Pussy Cat» et «L'Amour») présentent des films de fesses en . . . anglais, s'il-vous-plaît: il semble que la censure québécoise ait la cuisse plus hospitalière que sa consoeur ontarienne, ce qui expliquerait la migration à Hull de cinéphiles (films porno) anglophones d'Ottawa; peuple colonisé par les Franco-Ontariens, d'autre part. Deux exemples: l'institution bilingue *Université d'Ottawa — University of Ottawa* et le quotidien *LE DROIT* d'Ottawa. Ces deux institutions propagent une aliénation culturelle cancéreuse chez les francophones des deux rives de l'Outaouais, en diffusant une sorte de bonententisme bilingue à sens unique qui a déjà fait d'Ottawa une ville à peu près unilingue anglaise et qui menace désormais les Hullois et les Gatinois: ils sont plus de la moitié des lecteurs du *DROIT* et leurs élites s'anglicisent à l'Université d'Ottawa.

Sans posséder de statistiques péremptoires pour illustrer ma perception de la réalité outaouaise, je suis persuadé que la moitié des citoyens d'Ottawa dont la langue d'usage est encore le français, ne lisent pas le quotidien *LE DROIT* d'Ottawa, n'écoutent pas la radio française de Radio-Canada (CBOF, Ottawa). Ces citoyens bilingues d'une capitale fédérale unilingue sont abonnés au *CITIZEN* ou au *JOURNAL* et leur petit écran parle anglais ou américain. Ce qui explique que les médias francophones d'Ottawa ne pourraient subsister sans une clientèle qui habite majoritairement sur la rive québécoise de l'Outaouais.

Réduite, d'une part, au rôle passif de banlieue résidentielle d'Ottawa et d'annexe de la bureaucratie fédérale unilingue, la ville de Hull est littéralement investie par l'anglophonie qui déborde d'Ottawa. Aylmer-en-Québec est déjà un satellite urbain à moitié anglophone et son expansion massive le soudera bientôt à la ville de Hull.

Mise en quasi-tutelle, d'autre part, par la *Commission de la capitale nationale*, sorte de gouvernement régional téléguidé par le «pouvoir de dépenser» énorme du Gouvernement fédéral et par l'omniprésence des proriétés immobilières et foncières fédérales en territoire hullois (35% environ de la superficie de la ville de Hull), l'autonomie politique de la ville de Hull semble dérisoire.

Mais ce que l'observateur superficiel de la réalité hulloise oublie le plus souvent, c'est que l'omniprésence fédérale à Hull est le résultat d'une longue supplique des élites politiques locales et de la Chambre de Commerce de Hull, en particulier. Le député fédéral de Hull — qui semble élu à vie! — s'est fait le champion de la fusion Ottawa-Hull. La moitié de la population hulloise, semble-t-il, est très contente de la venue massive des tours de béton du Gouvernement fédéral dans l'île de Hull, des expropriations et des démolitions corollaires. Un chauffeur de taxi hullois m'a très bien résumé le sentiment populaire de la moitié de sa ville: «Faire une piastre en anglais ou en français, ça m'est égal, pourvu que je fasse une piastre!. Les bâtisses du Fédéral à Hull, c'est bon pour le taxi!»

C'est, semble-t-il, depuis l'arrivée massive à Hull, des fonctionnaires fédéraux unilingues anglais, qu'une moitié de la population hulloise a soudainement pris conscience de la vulnérabilité de sa langue et de sa culture sur son propre territoire et de la menace réelle d'assimilation par la minorité anglophone qui augmente ses effectifs dans les villes francophones de l'Outaouais québécois et qui domine déjà la petite ville d'Aylmer, une banlieue québécoise de Hull.

La ville de Hull est une ville divisée. Divisée par sa double allégeance à deux langues et à deux capitales: la capitale fédérale riche et toute proche et qui lui donne des «jobs»; la capitale provinciale pauvre et très distante et qui lui tient parfois de beaux discours tout en n'étant pas mécontente au fond, qu'Ottawa s'occupe d'elle avec un bel empressement.

Bref, Québec a bien d'autres chats à fouetter et les «quelques arpents de neige» de l'Outaouais sont bien loin! Décidément, à Québec, on ne comprend ni l'importance stratégique de l'Outaouais québécois, ni l'héroïsme obscur et quotidien d'une partie de sa population.

3.3 *Ottawa, capitale amphibologique?*

Le visiteur de passage à Ottawa, a nettement l'impression qu'il s'agit d'une ville unilingue anglophone et il a peine à croire que le côté ontarien de cette région métropolitaine abrite près de 100,000 citoyens de langue maternelle française (96,900 au Recensement du Canada de 1971), soit le quart environ de la population totale. Comment expliquer que, — abstraction faite des organismes culturels fédéraux qui, eux, sont agréablement bilingues —, cette population francophone n'ait à peu près aucun rayonnement culturel à Ottawa, bien qu'elle jouisse de l'appui considérable et prestigieux du Gouvernement fédéral en général et du Centre national des arts, en particulier? Comment expliquer l'anglicisation galopante de l'Université d'Ottawa qui devrait être le fer de lance de la francophonie dans la capitale canadienne et dans l'Est ontarien où vit une importante population rurale et urbaine de langue maternelle française? En six années seulement, le pourcentage de la population étudiante francophone à l'Université d'Ottawa, est passé de 62.0% en 1972 à 47.6% en 1977. Et comment expliquer l'échec massif des cours intensifs de français aux hauts fonctionnaires fédéraux? Comment expliquer la tendance viscérale des anglophones à imposer leur langue dans leurs échanges avec les francophones?

3.3.1 L'Université amphibologique d'Ottawa

Bien que située au centre-ville, l'Université d'Ottawa n'a, semble-t-il, aucun rayonnement culturel. Si on excepte «L'Auberge du Bon Sourire», rue Laurier, tous les commerces en périphérie immédiate du campus affichent des enseignes unilingues anglaises. L'artère commerciale la plus proche, la rue Rideau, présente elle aussi un visage à peu près exclusivement anglophone, bien qu'elle soit fréquentée continuellement par des centaines de Hullois francophones qui y travaillent ou y font leurs emplettes. Un francophone d'Ottawa et un Hullois à Ottawa, s'adressent d'abord en anglais à un inconnu dans la rue et dans les magasins. C'est un comportement suicidaire. Ce comportement est imposé depuis toujours par la majorité anglophone et de guerre lasse, les francophones cèdent...

On peut se demander si l'absence de rayonnement culturel franco-ontarien de l'Université d'Ottawa, ne réside pas aussi dans le fait que la majorité de ses étudiants francophones vivent en serre chaude dans les résidences d'étudiants et que, conséquemment, leurs contacts avec les autochtones des quartiers voisins de la Côte de Sable et de la Basse-Ville d'Ottawa, sont superficiels et insignifiants. Malgré le fait qu'elle compte cinq milles étudiants francophones, l'Université d'Ottawa vit dans une tour de béton et ne génère aucun «quartier latin» au centre-ville.

Tableau 1

DIMINUTION DE LA POPULATION ÉTUDIANTE FRANCOPHONE À L'UNIVERSITÉ D'OTTAWA

Pourcentage des étudiants de premier cycle, à temps complet, de langue maternelle française, pour la période 1971-1977.[1]

Année académique	Pourcentage
1971 — 1972	62.0%
1972 — 1973	60.2%
1973 — 1974	57.9%
1974 — 1975	54.0%
1975 — 1976	50.4%
1976 — 1977	47.6%

Source: Statistiques sur les étudiants, publication annuelle de l'Université d'Ottawa.

1. Pour les études supérieures (2e et 3e cycles) les 373 étudiants de langue maternelle française formaient, en 1976-1977, seulement 32.3% du total des étudiants de cette catégorie. (source: idem).

Analyse sommaire des statistiques de l'Université d'Ottawa, concernant la présence de la population étudiante francophone en provenance du Québec, en général et de *l'agglomération de Hull*, en particulier.

1. Si on considère l'inscription totale des étudiants à temps complet pour les années 1972 et 1975, on constate que l'apport du Québec a diminué à la fois en chiffres absolus et en pourcentage: 3061 étudiants québécois en 1972 contre 3029 en 1975; en 1972, les étudiants québécois représentaient 35.2 pour cent de l'ensemble des étudiants à temps complet, alors que ce pourcentage tombait à 28.2 pour cent en 1975.

Tableau 2

UNIVERSITÉ D'OTTAWA, 1975-1976. RÉPARTITION DES FACULTÉS EN QUATRE CATÉGORIES LINGUISTIQUES: UNILINGUE FRANÇAISE, UNILINGUE ANGLAISE, BILINGUE À DOMINANCE FRANÇAISE ET BILINGUE À DOMINANCE ANGLAISE.

Catégories de facultés	Étudiants à temps complet	
	pré-diplômés	diplômés
I — *Faculté unilingue française:*		
— Droit civil	447	6
Catégorie I — Total	447	6
II — *Faculté unilingue anglaise:*		
— Common Law	492	7
— Médecine	656	33
— Sciences infirmières	308	
Catégorie II — Total	1 456	40
III — *Faculté bilingue à dominance française:*		
— Arts (au niveau pré-diplômé seulement)	3 121	
— Sciences sociales	506	93
— Sciences de la gestion (niveau pré-diplômé)	811	
— Philosophie (niveau pré-diplômé)	49	
— Éducation physique et loisir (niveau pré-diplômé)	566	
— Psychologie (niveau pré-diplômé)	476	
Catégorie III — Total:	5 529	93
IV — *Faculté bilingue à dominance anglaise:*		
— Sciences et Génie	1 776	213
— Éducation	405	143
— Arts (niveau diplômé)		181
— Sciences de la gestion (niveau diplômé)		141
— Philosophie (niveau diplômé)		40
— Éducation physique et loisir (diplômé)		26
— Psychologie (diplômé)		126
Catégorie IV — Total:	2 181	995

Source: U. d'O., *op. cit.*, compilation par Jean Cimon

2. Par contre, le pourcentage des étudiants ontariens est passé de 49.4 en 1972 à 57.1 en 1975. Cette ascension spectaculaire des étudiants ontariens — une augmentation de près de 2,000 étudiants en trois ans — n'est pas étrangère à la bilinguisation accélérée de cette université qui semble atteindre le point critique en 1976, c'est-à-dire que le processus de minorisation et d'anglicisation des étudiants francophones, — sauf dans les oasis «québécoises» de *Droit civil* et de *Civilisation canadienne-française* — est engagé de façon irréversible.

3. Si le taux d'assimilation des Franco-Ontariens poursuit sa courbe ascendante et si l'apport des étudiants québécois poursuit sa courbe descendante, l'Université bilingue d'Ottawa deviendra unilingue anglaise à la fin du vingtième siècle.

4. Si on compare la langue maternelle des étudiants et la langue d'enseignement pour les années académiques 1970-1971 et 1975-1976, on constate la domination de plus en plus marquée, de l'anglais comme langue d'enseignement: 51.9 pour cent en 1970-1971 contre 57.4 pour cent en 1975-1976. Quant aux étudiants de langue maternelle française, leur pourcentage de moins en moins majoritaire est tombé de 60.6 pour cent en 1970-1971 à 50.4 pour cent en 1975-1976.

5. Si on considère seulement l'ensemble des *étudiants francophones* à temps complet, on constate que les *étudiants québécois* y sont toujours majoritaires: 3061 sur 4965 francophones en 1972 et 3029 sur 5175 étudiants francophones en 1975. En d'autres termes, *c'est l'apport québécois* qui a permis au groupe étudiant francophone de détenir une majorité de plus en plus précaire sur le groupe étudiant anglophone qui, ajouté aux 997 étudiants dont la langue maternelle est autre que le français et l'anglais, constitue pour la première fois, dans l'histoire de l'Université d'Ottawa, une *majorité probable*, en 1975-1976, du groupe étudiant anglophone: 5572 étudiants contre 5175 étudiants francophones.

L'anglicisation de l'Université amphibologique d'Ottawa n'est pas improvisée. Elle se prépare dès la maternelle des écoles publiques «françaises» d'Ottawa, comme en fait foi la lettre suivante qui a paru dans le quotidien *Le Droit* d'Ottawa, édition du 15 février 1978, lettre ouverte adressée au président du Conseil des écoles séparées d'Ottawa:

«Monsieur,
Nous devons vous informer que nous avons dû retirer notre fils François, de l'école G.E. Cartier et nous vous demandons de chercher avec nous les moyens de lui permettre d'y retourner. Nos raisons gravitent toutes autour d'un même fait: l'école a perdu son véritable caractère français.
«Dans la classe de notre fils, la maternelle, s'entassent 25 enfants dont la moitié ont l'anglais comme langue maternelle et plus du quart ne comprenaient pas un mot de français avant d'y entrer.
«Dans les autres classes, l'anglais est plus ou moins devenu la langue dominante: c'est en anglais que jouent les enfants à la récréation, qu'ils attendent l'autobus scolaire ou même qu'ils demandent une gomme à effacer, en classe, à leurs voisins. C'est par un «What's your name» que les grandes filles responsables des tout-petits les accueillent à la récréation.
«Ce ne sont plus des classes françaises mais des classes d'immersion . . . d'immersion anglaise.
«Notre fils n'a pas quitté l'école. C'est l'école qui l'a quitté. Nous aiderez-vous à la lui ramener? Tout de suite « (Cette lettre est signée par Françoise et Gilles Lagacé d'Ottawa).

Dans *Le Droit* du 18 février 1978, le surintendant des écoles de langue française du Conseil des écoles séparées d'Ottawa, reconnaissait le bien-fondé de la supplique des parents Lagacé. Le surintendant a même renchéri en déclarant que «cinq écoles françaises du CESO, toutes situées en milieu anglophone, étaient aux prises avec le même problème (. . .) Le surintendant a souligné la «délicatesse» (sic) de cette situation qui ne pourrait pas, selon le CESO, être résolue de façon radicale, comme l'exclusion de tous les enfants dont les deux parents ne sont pas francophones ou le renvoi des enfants qui ne parlent pas adéquatement le français, bien que francophones. L'école française peut convaincre les parents à n'utiliser que le français au foyer et à ramener les jeunes au français, de soutenir le surintendant. Les élèves qui parlent anglais à l'école ne sont pas tous des anglophones et certains parents francophones, de l'avis du surintendant, se fient trop sur l'école dans son rôle d'inculquer la fierté française à leurs enfants.

3.3.2 Bilinguisme amphibologique de la Fonction publique

D'ici quelques années, les immenses complexes administratifs en construction dans l'île de Hull — Place du Portage et Terrasses de la Chaudière — abriteront environ 20,000 fonctionnaires du Gouvernement fédéral qui travaillaient auparavant à Ottawa. Qui sont ces fonctionnaires? Quelle est leur langue d'usage? Quelle est leur langue de travail? Combien d'entre eux, pour des raisons d'économie et de commodité, décideront-ils d'élire domicile à Hull ou en territoire québécois avoisinant? Enfin, quel sera l'impact de cette migration de milliers de fonctionnaires ontariens sur la population autochtone des 60,000 Hullois francophones?

Répondre à ces questions vitales — ou tenter d'y répondre avec un minimum de sang froid et d'objectivité —, c'est soulever le mythe du bilinguisme dans la capitale fédérale d'Ottawa-Hull, selon l'appellation désormais consacrée par la Commission de la capitale nationale et par la Société Radio-Canada.

Les quelques 20,000 fonctionnaires fédéraux en train de déménager à Hull sont, dans une proportion minimum de 75%, des anglophones dont la langue d'usage est l'anglais et dont la langue de travail est aussi l'anglais. Cependant, il est possible, selon les normes de la Fonction publique du Canada, que beaucoup de ces fonctionnaires nouvellement arrivés à Hull, soient officiellement bilingues. Essayons de cerner de près cette question ambiguë du bilinguisme dans la fonction publique fédérale. Pour ce faire, qu'on me permette de m'appuyer sur le témoignage de Michel Bilodeau[56] qui a travaillé pendant sept ans au Bureau fédéral des langues, où il dirigeait le plus grand centre de formation linguistique au Canada, c'est-à-dire le Centre Asticou situé à Hull.

> «Le programme de formation linguistique, écrit Michel Bilodeau, a été basé sur un quiproquo invraisemblable: alors que les anglophones l'ont perçu comme favorisant indûment les francophones, c'est l'inverse qui était vrai. En effet, en identifiant des postes comme requérant l'usage de deux langues officielles, le gouvernement permettait aux unilingues (à 90% anglophones) d'obtenir ces postes à condition qu'ils suivent des cours de langue aux frais de l'État. On a donc octroyé de véritables congés d'étude de plusieurs mois à des milliers d'anglophones (et

à quelques centaines de francophones pour que ça paraisse bien). Et au bout de la ligne, on a des anglophones à peine bilingues qui obtiennent des postes qu'ils n'auraient pas pu obtenir autrement. Ainsi, la majorité des postes bilingues sont occupés par des anglophones, qui continuent évidemment de travailler en anglais, qui ont appris une autre langue sans débourser un sou, et qui en plus recevront une prime!»

Une autre ambiguïté du bilinguisme, toujours selon Michel Bilodeau, «(. . .) est d'avoir fait croire aux fonctionnaires francophones qu'ils pourraient travailler en français. Il s'agissait au départ d'une tentative téméraire vouée à l'échec. Bien sûr il y a eu des succès, bien sûr il y a eu amélioration. Dans la presque totalité des ministères, il est maintenant possible de recevoir les services internes (paie, information, personnel) en français. Mais ces services ont également engendré les seuls secteurs où il soit vraiment possible de travailler en français. La Commission de la fonction publique, chargée de l'embauche et des cours de langues, et le Secrétariat d'État, chargé des programmes culturels et de la traduction, sont les seuls organismes de taille raisonnable où on peut travailler en français. (. . .) Je crois sincèrement que ce qui a été accompli jusqu'ici est le maximum de ce qui pouvait être fait et que l'anglais demeurera toujours la langue dominante de la Fonction publique fédérale.»

Après un tel diagnostic sur le mythe du bilinguisme dans la Fonction publique fédérale, il n'est pas alarmiste, semble-t-il, de s'inquiéter de l'impact d'une telle invasion linguistique anglophone unilingue en plein coeur de la ville de Hull.

3.3.3 Le «French Power» à Ottawa: un mythe?

Ce qu'il y a de plus déprimant dans la ville d'Ottawa, c'est l'existence — et la non-présence — d'une «francophonie en transit perpétuel», selon l'expression juste du Rapport Savard.[57]

La Colline du Parlement à Ottawa ressemble à un gros collège classique d'autrefois où les députés — pensionnaires francophones ont besoin d'une «dispense» — que le Préfet Pierre Trudeau accorde parcimonieusement — pour «aller en ville». Un ex-ministre fédéral québécois — ami intime du Père Préfet

— n'a-t-il pas déclaré à un journaliste, qu'en dix années de vie parlementaire dans la capitale fédérale, il ne se souvenait pas d'avoir passé une seule fin de semaine à Ottawa.

Les étudiants, les professeurs, les députés, les sénateurs, les courtisans, les diplomates d'origine québécoise, toute cette francophonie enfin est continuellement «de passage» à Ottawa: pas étonnant qu'il m'arrive de confondre le foyer du Centre national des arts avec la salle des pas perdus de l'aéroport d'Ottawa!

Évidemment que j'exagère un peu, mais c'est pour dire qu'après dix années de «French Power» à Ottawa, l'intelligenzia francophone s'est révélée inapte à pousser la moindre racine dans cette «terre de roches» fédérale, de produire la moindre strate d'humus spirituel francophone, dans ce sol urbain de la solitude anglophone, dans cette capitale amphibologique de l'ennui national.

3.4 Une vocation culturelle pour la Commission de la capitale nationale

La Commission de la capitale nationale (CCN) — et ses prédécesseurs depuis bientôt un siècle — ont joué un rôle historique dans la conservation et la mise en valeur des paysages naturels de la région immédiate des villes d'Ottawa et de Hull. N'eût-été la vigilance et la persévérance de la CCN et de ses prédécesseurs, les promenades du canal Rideau et de la rivière des Outaouais, la ceinture verte d'Ottawa et le Parc de la Gatineau n'existeraient peut-être pas; les immeubles historiques de la rue Sussex auraient sans doute été démolis pour faire place à des tours de béton.

Par contre, il faut admettre que la CCN a échoué dans sa mission primordiale qui était de protéger la silhouette de l'admirable ensemble architectural qui s'élève sur la Colline parlementaire. Depuis une dizaine d'années, en effet, la Tour de la Paix et les flèches magnifiques de la Bibliothèque du Parlement, du East Block et du West Block, ont été visuellement submergées par un horizon de gratte-ciels hétéroclites qui n'auraient sans doute pas été construits sans l'assurance que le Gouvernement fédéral serait le locataire principal des dites bâtisses. La CCN n'est pas évidemment l'unique responsable de cette catastrophe: le Ministère des travaux publics et la Ville d'Ottawa sont également complices. Mais la CCN, de par sa mission fondamentale, aurait dû alerter le Parlement canadien de façon efficace avant qu'il ne soit trop tard. Nous reviendrons sur cette question fondamentale d'esthétique architecturale de la capitale fédérale du Canada.

Dans ce concept d'aménagement régional qui est proposé par la Commission de la capitale nationale, trois postulats nous semblent discutables.

Le premier postulat que nous désirons remettre en question, c'est la volonté de la CCN de contrer la tendance «naturelle» le long d'un axe Est-Ouest du développement urbain dans l'agglomération Ottawa-Hull.

Le deuxième postulat qui ne colle pas à la réalité, c'est de faire de la Colline parlementaire d'Ottawa — c'est-à-dire l'ensemble architectural du Parlement — le point central d'un cercle théorique de douze milles de rayon, à l'intérieur duquel serait concentrée l'expansion urbaine de la capitale fédérale. Cette vision purement théorique et géométrique de l'urbanisme est périmée et elle manifeste, par surcroît, une insensibilité totale de la CCN envers les problèmes sociologiques de la région, en général, et de l'insécurité de l'identité québécoise et franco-ontarienne, en particulier.

L'originalité créatrice du Plan Gréber pour la région d'Ottawa (1950), c'était de traduire physiquement la «*national significance*» de la capitale canadienne, en faisant de la Colline parlementaire une perspective architecturale dominante et une fenêtre largement ouverte sur la rivière des Outaouais et sur les montagnes de la Gatineau. La permanence de cette proposition majeure du Plan Gréber eût été assurée par l'établissement à l'intérieur d'un périmètre donné autour de la Colline parlementaire, d'une servitude dite de «non altius tollendi» et applicable à toutes les constructions existantes (en 1950) et futures.

Grâce au respect absolu d'une telle règlementation — que la Ville d'Ottawa, sauf erreur, refusa dans le temps d'édicter, avec les conséquences que l'on connaît aujourd'hui — la silhouette des tourelles, clochers et flèches de la Colline parlementaire serait encore visible des quatre points cardinaux ou presque.

D'autre part, l'architecte-urbaniste Jacques Gréber voulait marquer davantage la «*national significance*» des édifices du Parlement, en favorisant une inter-action visuelle et panoramique entre le côté ontarien et le côté québécois de la Colline parlementaire qui surplombe un rocher sauvage en bordure de la rivière des Outaouais, face à la petite ville québécoise et francophone de Hull. C'est dans cet esprit et pour des raisons purement esthétiques, que Jacques Gréber souhaitait le déplacement des usines Eddy — situées à Hull, au bord de la rivière et juste en face de la colline du Parlement fédéral —, qui bloquaient visuellement le panorama spectaculaire des montagnes de la Gatineau pour l'observateur situé du côté ontarien, de même que la vue de la Colline du Parlement dans toute sa majestueuse beauté, pour l'observateur situé du côté québécois de la rivière des Outaouais en face d'Ottawa.

Hélas! on a détruit à jamais l'esprit du Plan Gréber, en remplaçant les usines Eddy et ses montagnes pittoresques de «pitoune», par des montagnes carrées de béton et de briques qui s'appellent «Place du Portage» et «Terrasses de la Chaudière».

Ainsi, la construction des gratte-ciels fédéraux dans l'île de Hull, vient masquer l'interaction visuelle — dont rêvait Gréber — et détruire l'échelle de l'île de Hull et l'identité collective des Hullois.

L'urbanisation galopante que la région de la capitale canadienne connaît depuis quelques années, a poussé, semble-t-il, la Commission de la capitale nationale à dévier de sa mission originelle de jardinier-paysagiste, pour envahir un domaine municipal explosif qui est de la juridiction exclusive des provinces et de leurs délégués municipaux élus par le peuple.

Parce que nous sommes conscients du danger que représente cette orientation géo-politique de la Commission de la capitale nationale, nous prions respectueusement les membres du Comité mixte du Sénat et de la Chambre des Communes[58], de considérer la pertinence de suggérer une réorientation de l'action nécessaire et souvent bénéfique de la Commission de la capitale nationale.

Bref, nous recommandons que la Commission de la capitale nationale conserve son rôle de gardienne des espaces verts, tout en limitant au minimum son action de promotion urbanistique où elle s'est déjà aliéné les gouvernements régionaux et locaux qui oeuvrent sur le territoire ontarien de la Municipalité régionale d'Ottawa — Carleton et sur le territoire québécois de la Communauté régionale de l'Outaouais.

Nous croyons que la raison d'être de la Commission de la capitale nationale est d'abord et avant tout une mission de conservation et de mise en valeur des beautés naturelles de la région, en général, et de protection de la Colline parlementaire et de ses abords, en particulier. Nous croyons que tel était l'esprit du *Plan Gréber* de 1950 et de la *Loi sur la capitale nationale* de 1958.

Le troisième postulat que nous désirons remettre en question, c'est que la Commission de la capitale nationale soit le seul organisme habilité à coordonner l'urbanisme des deux côtés de la rivière des Outaouais, dans la région de la capitale fédérale.

> "Of all jurisdictions within the National Capital Region it is apparent that only the National Capital Commission has the mandate to look at the whole Region and to try and mesh the plans and activities of the other jurisdictions with those of the federal government into a coherent whole".[59]

Nous contestons cette affirmation simpliste. Les Gouvernements de l'Ontario et du Québec sont capables de s'entendre pour assurer le développement harmonieux de la conurbation Ottawa-Hull. Cela a été démontré par la création de deux organismes jumeaux: la *Regional Municipality of Ottawa — Carleton* et la *Communauté régionale de l'Outaouais*. Ces deux organismes se sont d'ailleurs ligués à quelques reprises contre l'ingérence de la Commission de la capitale nationale qui utilise le pouvoir de dépenser du Gouvernement fédéral pour offrir des subventions conditionnelles aux municipalités de la conurbation Ottawa-Hull.

Ce pouvoir de dépenser, le Gouvernement fédéral — par l'entremise de la CCN —, l'a aussi utilisé en achetant ou en expropriant des terrains stratégiques dans l'agglomération d'Ottawa-Hull, terrains qui, une fois possédés par le Fédéral, ne sont plus soumis aux règlements municipaux de construction et de zonage.

Dès 1968, le Rapport Dorion proteste contre ces acquisitions massives de terrains, en ajoutant que cette «région de la capitale nationale» est trop vaste et non complètement justifiée, car elle englobe deux réalités géographiques distinctes: une zone métropolitaine restreinte et une région géo-économique beaucoup plus vaste. De plus, une telle immensité «encourage le développement de possessions domaniales importantes».

Or, ces possessions territoriales fédérales sont lourdes de conséquences, car elles constituent une érosion irréversible des compétences provinciales, selon l'avis d'un juriste éminent, Me Andrée Lajoie-Robichaud.

> «Une législature provinciale ne peut récupérer sa compétence sur un ouvrage local déclaré à l'avantage général du Canada, ni directement, ni par le biais de la propriété, la propriété et la compétence législative étant deux choses distinctes. Par contre, le fédéral peut acquérir la compétence législative à partir de la propriété, en vertu de l'article 91,IA de l'A.A.N.B., ce qui lui permet de modifier sa compétence législative et le territoire des provinces.»

On pourra me rétorquer, il est vrai, que du point de vue de l'urbanisme, ce n'est pas la *propriété* du sol qui importe, mais *l'usage* qu'on peut en faire. C'est pourquoi le règlement de zonage — un pouvoir provincial délégué aux municipalités — est l'outil par excellence de toute politique d'urbanisme.

Mais l'ennui avec le Gouvernement fédéral c'est qu'il peut faire indirectement ce qu'il ne peut faire directement! Ce qui a fait dire, autrefois, au premier ministre René Lévesque, que le Canada était «une maison de fous». En effet, les terrains de la Couronne ne sont pas assujettis aux règlements de zonage des municipalités, ce qui confère à la CCN un pouvoir exorbitant et non démocratique.

La CCN — qui est devenue une sorte de gérant régional de la ploutocratie fédérale — se comporte avec les municipalités de l'Outaouais québécois comme son *boss* se comporte avec les provinces: la CCN utilise son pouvoir de dépenser pour s'insinuer dans les conseils municipaux et orienter les plans locaux d'urbanisme dans le sens de l'«intérêt national» de la majorité anglophone dominante.

Le concept d'aménagement territorial de la CCN est en fait le concept instinctif de la domination anglo-saxonne au Canada — One Country, One Nation — et ce concept d'une capitale «nationale» ne pose pas de problème pour les anglophones d'origine britannique, puisque la ville d'Ottawa est à la fois leur capitale nationale et leur capitale fédérale.

Mais il n'en va pas de même pour la nation francophone du Canada. En effet, la seule capitale qui parle sa langue et qui respecte sa culture, c'est la ville de Québec où se trouve sa seule «Assemblée nationale».

Le concept géo-politique de la CCN est une sorte de viol de l'esprit de la Confédération canadienne. En effet, les francophones non assimilés ont toujours cru et croient encore que la confédération est l'association, à droits culturels et linguistiques égaux, de deux nations ou de deux peuples fondateurs. Et la conséquence de cette association, c'est qu'Ottawa devrait être une capitale confédérale authentique — ce qu'elle n'est pas — où règnerait l'égalité linguistique et culturelle de l'anglais et du français. Et c'est à cette tâche d'une société juste que devrait s'atteler une CCN revue et corrigée.

Timeo CCN et dona ferentes . . .

La raison fondamentale de l'antipathie intermittente de la population envers la CCN vient de ce que le gouvernement fédéral — représenté par la CCN dans la région de l'Outaouais — est un propriétaire géant au-dessus des lois provinciales et des règlements municipaux. «L'actif foncier du fédéral, dans la région», écrit Douglas H. Fullerton[60], «est considérable; il représente plus de 12 pour cent de la superficie totale de 1,800 milles carrés de la région, et environ 29 pour cent de la superficie totale du secteur urbain. Ni les administrations municipales, ni les gouvernements provinciaux n'ont compétence sur ces terrains, et le gouvernement fédéral n'est tenu de se conformer ni aux règlements locaux, ni aux dispositions de la règlementation provinciale. Les lois des provinces, ou les règlements des municipalités qui en relèvent, ne peuvent supprimer ni restreindre les droits fédéraux sans le consentement du gouvernement fédéral. Le principe de la souveraineté veut qu'en cas de conflit, la législation fédérale prime sur la législation provinciale».

Dans son rapport de 1970 sur le Canada urbain, N.H. Lithwick porte le diagnostic suivant sur la Commission de la Capitale nationale:

> «Cet organisme est unique en ce qu'il limite son champ d'activité à une seule région métropolitaine, celle d'Ottawa-Hull. Jusqu'à tout récemment, son premier objectif était de fournir et d'améliorer les espaces verts.

Ses fins étaient presque exclusivement esthétiques; ses réalisations — promenade de la Gatineau et d'Ottawa — son presque toujours agréables. Mais leur conception n'a pas été suffisamment pensée. L'un des résultats a été d'imposer des frais énormes aux régions urbaines en amalgamant des terrains susceptibles d'aménagement. Ceci s'appliquait tant à Hull (promenade de la Gatineau) qu'à Ottawa (la ceinture verte). De plus, le projet de la ceinture verte est encore agraire; il demeure de caractère esthétique en dépit du fait de plus en plus évident qu'il a entraîné une augmentation des prix du terrain à Ottawa, et fait franchir la ceinture verte à de nombreux ménages, exacerbant d'autant le problème de l'étalement.

Bref, l'organisme qui avait reçu en fait un mandat urbain n'a pas établi avant récemment, qu'il s'en était acquitté très efficacement. Il lui manque une politique urbaine pertinente et n'a pas encore trouvé le moyen de traiter avec les corps politiques qui sont élus par les habitants des régions métropolitaines.»[61]

Ne serait-il pas indiqué pour la Commission de la capitale nationale, de faire d'abord la preuve de son leadership, à l'intérieur de la Fonction publique du Canada, dans la planification cohérente de l'utilisation des propriétés fédérales et des espaces à bureaux loués par le gouvernement fédéral sur le territoire de la capitale nationale, avant de prétendre avoir seule la capacité de régenter les municipalités ontariennes et québécoises dans le domaine de l'urbanisme?

Or, cette absence de leadership de la Commission de la capitale nationale à l'intérieur de la Fonction publique fédérale, a été déplorée et défendue tant bien que mal, par nul autre que Douglas Fullerton, un ancien président de cette même Commission. En effet, dans un sous-chapitre intitulé «Le fiasco de la hauteur des édifices», Fullerton écrit:

«S'il est vrai que le MTP (i.e. le Ministère des travaux publics) a empiété sur les prérogatives de la CCN en matière immobilière, il est un secteur où celle-ci aurait pu exercer une influence positive sur les activités du ministère. Il s'agit de la politique de location du gouvernement. (. . .) Bien que la Loi de 1958 sur la Capitale nationale prévoie que les plans de tous les édifices fédéraux seront soumis à l'approbation préalable de la CCN, elle ne stipule rien de semblable pour les immeubles loués. Le gouvernement n'a exercé aucun contrôle sur l'architecture de ces édifices; le principe du fédéral de ne pas s'engager formellement, avant la construction, à louer des locaux aux promoteurs privés et la concurrence des prix du loyer ont confirmé, de fait, la renonciation pure et simple du fédéral à une intervention quelconque dans le domaine de l'architecture de ces édifices.

«La première conséquence de cette attitude a été la prolifération au centre-ville d'édifices de qualité inférieure, mais pas très élevés (au maximum dix étages); (. . .) En 1964, toutefois, le nouveau règlement municipal AZ-64 a relevé la hauteur maximale permise des édifices de 110 à 150 pieds du niveau de la rue, tout en prévoyant certaines exceptions justifiées. Le signal du départ de la course aux édifices en hauteur était donné. Aucune autre question de planification n'a suscité autant d'inquiétude chez les habitants, les personnalités officielles et les parlementaires, qui craignent tous que les édifices à bureaux en hauteur ne finissent peu à peu par dépasser la Tour de la Paix et à l'encercler complètement.»[62]

Pour justifier son ingérence dans les affaires municipales de Hull et d'Ottawa, affaires qui sont de la juridiction des provinces, la Commission de la capitale nationale invoque le sophisme nébuleux de «l'intérêt national» et elle brandit avec suffisance l'épée de Damoclès du Jugement Munroe qui, soit dit entre nous, n'est pas le Jugement Dernier de l'Apocalypse. Ce jugement de la Cour Suprême du Canada reconnait au Fédéral (via la CCN) le droit d'exproprier des terrains et immeubles sur le territoire de la «Région de la capitale nationale», en vertu de «l'intérêt national».

Si la réalité urbaine quotidienne des villes voisines d'Ottawa et de Hull ne représente pas l'essence du Canada, je me demande comment on pourra représenter l'intérêt national en supprimant la vérité de notre pays confédéré. À moins que l'intérêt national veuille dire l'assimilation de la minorité francophone au Canada ou sa domination systématique par la majorité anglophone. Mais il semble plutôt que dans la région de la capitale canadienne, l'intérêt national se doive d'assurer le bonheur national des populations anglophones et francophones qui habitent des deux côtés de la rivière-frontière et non pas d'être une capitale idéale désincarnée.

Si la Commission de la capitale nationale sent le besoin de régner sur un district fédéral qui existe déjà de fait, si la Commission rêve d'administrer un territoire qui soit soustrait à la juridiction des provinces d'Ontario et de Québec, si la Commission rêve de se séparer du reste du Canada réel, comment pourra-t-elle prétendre mieux représenter la réalité canadienne? Est-ce en supprimant les problèmes culturels et linguistiques de la Confédération qu'on va les harmoniser? Veut-on une capitale humaine et vivante, ou bien une capitale théorique et artificielle?

Ce qui est symboliquement étonnant, c'est que les édifices prestigieux de la Colline du Parlement — essence de la capitale fédérale — tournent le dos à la rivière des Outaouais et au Québec. Est-ce une prémonition de l'histoire? La construction d'un mono-rail entre l'ancienne gare d'Ottawa — Place de la Confédération — et la nouvelle Place du Portage à Hull aurait pour effet d'atténuer l'isolement de la Colline du Parlement, tout en constituant un transport-en-commun fonctionnel et une attraction touristique de première grandeur.

La Commission de la capitale nationale et ses prédécesseurs se sont généralement bien acquitté de leur mission de sauvegarde et de mise en valeur de l'humus végétal des territoires ontarien et québécois de la capitale canadienne. La beauté incontestable du contenant doit maintenant être transcendée par la beauté intérieure du contenu.

Nous croyons que l'heure est venue de donner une nouvelle orientation à la Commission de la capitale nationale en lui confiant une nouvelle vocation combien importante et combien difficile: celle de veiller désormais à la protection et à la croissance de *l'humus spirituel* sur le sol de la capitale canadienne.

Pour ce faire, la Commission de la capitale nationale doit changer radicalement d'orientation: au lieu de s'égarer dans le labyrinthe de la politique qui est l'affaire des élus du peuple des deux côtés de la rivière des Outaouais, la Commission doit plutôt retrouver la sérénité tolérante de l'artiste et devenir une *Commission de l'urbanité de la capitale canadienne*. Car il faut l'avouer une bonne fois: la capitale est morne et triste après dix-sept heures. La capitale manque de joie de vivre, elle a besoin d'un supplément d'âme. Au temps de ma jeunesse errante, le va-et-vient des locomotives mettait de la vie dans les nuits noires d'Ottawa et je me rappelle ce petit restaurant adossé à la gare, où le café fumant et chaleureux chantait jusqu'à l'aube dans les tasses des cheminots et des rares noctambules de cette ville monacale.

Aujourd'hui, le carillon de la Tour du Parlement sonne les heures comme un glas dans la nuit glacée d'Ottawa, car la gare Union est désormais vide et amputée de ses rails. La gare Union, avec son passage souterrain qui la reliait directement au Château Laurier, c'était vraiment le coeur urbain qui battait jour et nuit. Les trains qui s'étiraient sur la rive droite du canal Rideau, c'était le spectacle quotidien des flâneurs et la joie secrète des grands et des petits enfants, c'était l'invitation au voyage, c'était le vrai symbole fédéral d'une contrée immense qui demeure, en somme, un long chemin de fer solitaire et de plus en plus rouillé.

Que l'on redonne son inoubliable gare Union — mémoire de la villle — au peuplc d'Ottawa et du pays tout entier, qu'elle redevienne, au moins, la gare centrale d'un monorail intra-urbain et l'amorce d'une qualité de vie, d'une qualité d'âme qui manque désespérément à la capitale amphibologique d'Ottawa.

Que la CCN, en plus de son rôle de jardinier-paysagiste, ait la mission de promouvoir l'égalité linguistique et culturelle dans le centre-ville d'Ottawa où il est scandaleux, par exemple, que les agents de la circulation soient presque toujours unilingues anglophones.

Que l'esprit de la Confédération canadienne soit enfin respecté, en décrétant qu'il faille désormais être bilingue pour être admis dans la Fonction publique fédérale à Ottawa et à Hull. C'est-à-dire qu'il faille obligatoirement avoir une connaissance *active* d'une langue officielle (anglais ou français) et une connaissance *passive* de l'autre langue officielle du Canada (français ou anglais). J'entends par connaissance *passive*, la capacité de lire et de comprendre l'autre langue officielle: cette connaissance passive adéquate est absolument nécessaire, si on veut garantir à chaque fonctionnaire la liberté de travailler en anglais ou en français. Tant que les fonctionnaires fédéraux francophones devront obligatoirement travailler en anglais, la Confédération canadienne continuera d'être une imposture qui conduira fatalement à l'assimilation complète des francophones ou à la sécession du Québec.

Si on exclut le million d'étrangers qui vivent en Suisse — Italiens et Espagnols, pour la plupart —, la population de la Suisse, en 1973, était de 5,255,500 habitants, dont 74.5% de langue alémanique et 20.1% de langue française. Malgré l'énorme majorité alémanique, la connaissance de ces deux langues est obligatoire pour entrer dans la Fonction publique fédérale à Berne, capitale de la Confédération helvétique. Le fonctionnaire francophone à Berne utilise naturellement le français comme langue de travail, alors que le fonctionnaire alémanique utilisera l'allemand et que le fonctionnaire italophone pourra, à l'occasion, travailler en italien qui est la troisième langue officielle de la Suisse.

En Suisse, «si un canton est unilingue, le principe territorial détermine l'emploi d'une langue officielle, enseignée à l'école. (. . .) Les enfants de parents d'une autre langue doivent suivre l'école dans la langue locale. Les cantons bilingues sont Berne, Fribourg et Valais (allemand et français), alors que le canton des Grisons est trilingue (allemand — italien — romanche). (. . .)

«Dans ses relations avec les cantons, l'état fédéral emploie la langue du canton. Chaque membre du gouvernement et chaque employé de l'administration a le droit fondamental de parler en sa langue. Dans les faits, au Parlement, on utilise surtout le français et l'allemand, car l'italien n'est pas compris de tous. Chaque fonctionnaire fédéral doit connaître une deuxième langue nationale. Au tribunal fédéral et dans les tribunaux spéciaux de la Confédération (assurances et militaire) les trois langues officielles sont admises. (. . .)

«Ni la minorité linguistique, ni la majorité, n'aiment parler de «protection des minorités». La minorité n'entend pas être protégée, mais bien être respectée, et la majorité n'a pas à abuser de sa supériorité statistique.»[63]

Je laisse au lecteur le soin de répondre à la question suivante: pourquoi ce qui est *possible* dans la Fonction publique de la Confédération helvétique est-il *impossible* dans la Fonction publique de la Confédération canadienne à Ottawa?

Chapitre 4

L'ESPACE URBAIN: RÉFLEXIONS

4.1 Le patrimoine de l'Outaouais québécois

4.1.1 Le patrimoine en question

Le patrimoine dont il est question ici, touche les monuments aussi bien que les paysages exceptionnels. L'Outaouais est une région relativement ancienne par ses sites archéologiques, mais jeune par ses monuments, ceux qui ont échappé à l'incendie ou au vandalisme datant de la seconde moitié du dix-neuvième siècle. Après avoir évoqué les sites archéologiques semés sur la rive gauche de la rivière des Outaouais, l'impressionnant manoir Papineau et les pittoresques chemins de fer qui serpentent dans les vallées étroites de l'arrière-pays, je m'arrêterai à certains sites naturels et à certains édifices contemporains qu'il conviendrait de mettre en valeur.

La première démarche qui s'impose, semble-t-il, est de compléter l'inventaire de ce patrimoine dans ce qu'il a d'exceptionnel et de plus vulnérable, face à une urbanisation récente qui s'insinue dans les moindres replis et minuscules vallées de l'Outaouais québécois.

Le patrimoine archéologique s'échelonne principalement sur la rive québécoise de la rivière des Outaouais, comme l'a démontré Guillaume Dunn dans son ouvrage sur les forts qui existaient en Outaouais lors de la chute de la Nouvelle-France.

> «Parmi les forts de la Nouvelle-France, écrit Guillaume Dunn, bien peu pouvaient résister à d'autres assauts que ceux des Indiens. La plupart étaient «respectables seulement aux sauvages», comme on disait alors.
>
> «C'étaient, à quelques exceptions près, d'humbles palissades de pieux, plantés debout dans une clairière naturelle ou taillée dans l'épaisseur de la forêt vierge, toujours au bord de l'eau, les cours d'eau étant, à toutes fins utiles, les seules voies de communication facilement praticables.

Dans le quadrilatère restreint de ces fragiles enceintes, se blottissait une habitation rustique, entourée d'un petit potager et de quelques bâtiments de service. Abstraction faite de la palissade, cela ressemblait à s'y méprendre à ces ensembles disparates de bâtiments rustiques que les colons édifiaient alors avec les arbres qu'ils abattaient.»[64]

Le Ministère des Affaires culturelles a déjà commencé à dresser l'inventaire du patrimoine archéologique de l'Outaouais et la Société historique de l'Ouest du Québec — qui publie la revue trimestrielle *Asticou* — s'y intéresse activement.

4.1.2 Le Fort de Petites-Allumettes (Fort William)

Il semble qu'il n'y avait pas de poste de traite aux Allumettes, sous le régime français. C'est l'opinion de Guillaume Dunn qui écrit que cette grande île de l'Outaouais «(. . .) fût toujours un lieu de rencontre et de ralliement des nomades algonquins. Au temps de Champlain, ajoute-t-il, c'est là que résidait la grande nation algonquine sur laquelle régnait, en monarque absolu, Tessonat, le magnifique, qui ne se déplaçait que porté sur les épaules de ses guerriers. Fort de sa petite armée de quatre cents braves, il se croyait invincible et prélevait un péage sur tous les canots qui descendaient ou remontaient l'un ou l'autre des bras de l'Outaouais qui encerclaient son domaine, auxquels on donna les noms de Grandes et de Petites Allumettes.

«Le chevalier de Troyes nous donne dans son journal l'origine de ces appellations savoureuses de Grandes et de Petites Allumettes: «Le quatrième may nous levâme le picquet de très bonne heure, et arrivame au soleil levant au portage des grandes allumettes, distingué des petites à cause d'une île, dont le chenal du sud s'appelle les grandes allumettes, parce que le chenal est plus long, mais aussi plus aisé à monter. Celui du nord porte le nom de petites probablement parce qu'il est plus court. Un R.P. Jésuite, y passant autrefois, y oublia une boeste d'allumettes qu'il portait pour faire du feu, ce qui a donné aux voiageurs ce nom à cet endroit.» D'autres tentent d'expliquer ce toponyme par la présence de roseaux dont les Indiens se servaient comme allume-feu. (. . .)

«Le fort devait porter le nom d'Allumettes ou de Petites Allumettes jusqu'en 1848, année où le gouvernement ouvrit un bureau de poste à cet endroit pour lui attribuer l'appellation toute gratuite de Fort William, au risque de faire disparaître à jamais un savoureux toponyme, plus que séculaire et sans nul doute unique au monde.»[65]

Le poste des Allumettes, construit par la Compagnie de la Baie d'Hudson, au dix-neuvième siècle, est en bon état de conservation. Je l'ai visité et photographié à l'été de 1976, en compagnie de Guillaume Dunn. Le paysage est enchanteur: depuis la plage sablonneuse encadrée de conifères géants, le regard se répand sur cette immensité douce et miroitante du lac des Allumettes. Le site du poste plonge le visiteur dans les entrailles de l'histoire et apporte cette même euphorie d'un voyage dans le temps que l'on ressent en errant dans les sous-bois qui dissimulent le manoir Papineau au vingtième siècle.

Il conviendrait de transformer ce lieu exceptionnel en un parc historique intangible où les nomades du siècle présent appelés touristes et vacanciers, trouveraient une halte gastronomique et un bain de douceur dans ce territoire enchanteur de l'Outaouais québécois. Loin de l'asphalte et des autos dissimulées derrière un double haie de cèdres, le visiteur n'accéderait qu'à pied en ce lieu sacré de l'histoire et de la beauté immémoriale. Le piéton m'est toujours apparu comme le seul véhicule respectueux des lieux historiques du Québec, à l'exception du cheval.

L'acquisition et la mise en valeur du Fort de Petites Allumettes m'apparaît comme une priorité du Gouvernement du Québec dans l'Outaouais et comme une entreprise tripartite des ministères des Affaires culturelles, du Tourisme et des Transports. La pinède somptueuse et la plage limitrophe sont envahies en fin de semaine par une horde bruyante venue de Petawawa et de Pembroke, et qui a annexé à l'Ontario voisin et unilingue, ce lieu sublime de la francophonie outaouaise en voie d'extinction.

4.1.3 Tourisme et patrimoine

La petite presqu'île qui englobe la maison du bourgeois construite en 1846, le magasin actuel construit sur les fondations de pierre de l'ancien comptoir et la chapelle dissimulée dans la forêt devraient être classés lieu historique et les bâtiments restaurés par le Ministère des Affaires culturelles.

Dans ce cul-de-sac de l'Outaouais québécois de l'Ouest, il y a pénurie d'auberges de qualité et le voyageur qui s'aventure sur la route 148, à l'ouest de Shawville, doit obligatoirement se rendre à Pembroke, sur la rive ontarienne, pour obtenir le gîte et un repas convenable. D'ailleurs, cette route québécoise 148 se termine en . . . Ontario, à Pembroke précisément, ce qui exaspère, pour ainsi dire, l'assimilation galopante de l'extrême Ouest outaouais par les petites villes riveraines de l'Ontario anglophone.

Loin à l'écart de la route 148 — une vingtaine de milles à l'ouest de Waltham et de la chute majestueuse de la rivière Noire — le Fort de Petites-Allumettes, sa pinède somptueuse et sa plage de sable fin, sont occupés exclusivement par les anglophones de Petawawa et de Pembroke.

Il conviendrait que la Société d'aménagement de l'Outaouais ou à son défaut, le Ministère du Tourisme, acquiert la pinède de Fort William et la plage exceptionnelle qui la borde, pour y aménager un terrain de camping de qualité qui ferait partie d'un réseau de relais touristiques d'un véritable tour du Québec. C'est ici qu'intervient la collaboration nécessaire du Ministère des Transports pour étudier les implications techniques et économiques du prolongement éventuel de la route 148 jusqu'à Ville-Marie, capitale régionale du Témiscamingue. Ce prolongement routier en territoire québécois permettrait de relier l'Abitibi et le Témiscamingue à Montréal via Hull, ce qui faciliterait les échanges culturels et économiques entre les populations francophones isolées dans ces régions frontalières. De plus, si cette route 148 reliant Hull à Ville-Marie, était parsemée de relais historiques, culturels, gastronomiques et récréatifs de haute qualité, nul doute que le tourisme en provenance de la région montréalaise serait attiré par un tour de l'Abitibi via Hull et Ville-Marie avec retour par Mont-Laurier ou vice-versa.

Une centaine de milles séparent Hull et le Fort de Petites-Allumettes (Fort William), distance intéressante pour un relais routier, au départ ou en direction de la capitale de l'Outaouais québécois. Il serait très souhaitable que le Ministère du Tourisme — de concert avec celui des Affaires culturelles — étudie la possibilité d'aménager dans les bâtiments restaurés du Fort de Petites-Allumettes une hôtellerie d'État dans le genre des établissements de haute qualité que ce même ministère possède et exploite en Gaspésie.

Bien des spécialistes avant moi ont répété qu'une condition vitale de la survie et de l'autodétermination de l'Outaouais québécois francophone, c'était qu'il soit «sur-équipé» en établissements sociaux, culturels et touristiques de haute qualité. Force nous est de reconnaître qu'à l'ouest de l'agglomération hulloise et du parc fédéral de la Gatineau, le sous-développement culturel et touristique de l'Outaouais québécois est criant. Au nord de Hull, exception faite de la nouvelle et luxueuse auberge du Mont Sainte-Marie (la plus importante station de ski alpin de l'Outaouais) et de petits restaurants gastronomiques comme *Le Milieu du Monde* à Limbour et le *Ba-Ku* à Saint-Sixte, il n'y a guère de quoi décrire aux amis, sauf, bien entendu, la beauté des paysages. À l'Est, à mi-chemin entre Hull et Montréal, il y a ce relais touristique exceptionnel et de plus en plus fréquenté par les francophones: le Château Montebello, de la chaîne des CP-Hôtels, et son oasis romantique qu'est le Manoir Papineau dissimulé dans la forêt.

Le Fort de Petites-Allumettes fut au dix-neuvième siècle un comptoir de la Compagnie de la Baie d'Hudson, ainsi qu'une auberge pour les nombreux voyageurs, missionnaires et coureurs des bois. Il serait donc parfaitement convenable que ce poste de traite soit réanimé par une hôtellerie moderne respectueuse de l'architecture et de l'ambiance historique des lieux.

4.1.4 Un patrimoine à l'échelle régionale

Qu'il s'agisse d'équipements routiers, culturels ou touristiques, un plan directeur s'impose à l'échelle régionale. En effet, ce que l'État québécois doit éviter à tout prix, c'est de prolonger dans l'Outaouais une certaine tradition bureaucratique d'absence d'imagination et de conformisme routinier qui génère des actions imporvisées et un saupoudrage stérile des investissements à saveur électoraliste. Il est évident que les sites historiques, les paysages naturels exceptionnels et les villes existantes ne peuvent être déplacés pour satisfaire aux exigences d'une planification toute théorique: par exemple, l'installation de relais routiers «préfabriqués» à tous les cinquante milles, en dépit, trop souvent, de l'insignifiance et de la laideur de l'environnement. C'est pourquoi la connaissance du patrimoine régional et l'imagination créatrice sont si importantes en aménagement du territoire.

Dans le passé, les dimensions culturelles et touristiques de la route ont été peu considérées au Québec. Je prendrai, comme exemple, la banlieue Est de la capitale québécoise qui est un modèle parfait de ce qu'il faudrait éviter de faire dans une région en pleine crise d'urbanisation, comme l'Outaouais québécois.

Ayant vécu mon enfance et mon adolescence dans la ville de Québec, j'ai assisté à la dégradation systématique de la Côte de Beaupré, en général et des berges du fleuve Saint-Laurent en particulier. Entre le domaine de Maizerets — l'historique maison d'été du Séminaire de Québec sur la batture de Beauport — et le pont de l'île d'Orléans, le cancer urbain a commencé son oeuvre destructrice avec la construction du boulevard Sainte-Anne en bordure sud du chemin de fer de Charlevoix. Cette déviation du chemin du Roy — devenu trop étroit pour écouler l'augmentation fulgurante du transit automobile — fut aménagée sur les pacages du bord de l'eau, peu de temps après la construction du pont de l'île d'Orléans en 1935. À certains endroits, la nouvelle route passait à une centaine de pieds de la grève encadrée de saules romantiques et d'où la vue sur la marée montante et sur l'île d'Orléans était idyllique. Un à un, les grands saules furent abattus et remplacés par des cours de «chars usagés» surmontées de guirlandes d'ampoules multicolores, de cabanes à patates frites et de dépotoirs de toutes sortes, prélude au remplissage scandaleux du lit du fleuve que l'on connaît aujourd'hui. Bientôt, cette route s'est muée en corridor, car un mur d'entrepôts et de bâtiments hétéroclites s'était dressé entre le fleuve et la nouvelle chaussée automobile: le cancer urbain avait atteint le stade irréversible. Aujourd'hui, les berges du Saint-Laurent ont été violées, saccagées et bâties jusqu'à Beaupré. Quant à la route neuve — le boulevard Sainte-Anne — des élargissements coûteux de la chaussée automobile à quatre voies, sans terre-plein central, en ont fait une routes-corridors les plus meurtrières du Québec: outragée par tant de laideurs, la bonne Sainte-Anne a cessé de faire des miracles dans sa basilique de Beaupré.

À l'époque, le Ministère de la Voirie n'a pas songé à acquérir la mince bande de terrain entre la route neuve et la grève et nous avons perdu à jamais un patrimoine naturel d'une valeur inestimable. Seul témoin de cette beauté disparue, la réserve faunique fédérale du Cap Tourmente, que le Séminaire de Québec a vendu au Gouvernement d'Ottawa, après l'avoir offert, m'a-t-on dit, au Gouvernement du Québec. Que l'on songe seulement à la piste cyclable sous les saules du bord de l'eau que nous aurions aujourd'hui entre Maizerets et le pont de l'île d'Orléans! Puisse la leçon du boulevard Sainte-Anne être entendue dans un Outaouais en pleine euphorie routière!

4.1.5 Patrimoine naturel et agriculture de paysage

Parler d'inventaire du patrimoine naturel, c'est parler de *sites* choisis pour des raisons précises, car il faut nécessairement limiter l'intervention gouvernementale de protection et de mise en valeur des paysages.

La *Loi sur les biens culturels* (Québec, 1972) prévoit le classement et l'acquisition de *sites naturels* dont la beauté ou l'intérêt archéologique justifient une intervention de l'État. Parmi les paysages naturels j'inclus à la fois le paysage dit «sauvage» et le paysage humanisé par la main de l'homme, tel le paysage agricole.

L'Outaouais aurait profit à s'inspirer de l'expérience tentée par la *Mission technique de Charlevoix* (une initiative de l'OPDQ) qui recommandait le maintien d'une «agriculture de paysage», grâce à des subventions spéciales ou à des normes d'exception par le Ministère de l'Agriculture du Québec.

> «En raison de l'exiguïté du territoire agricole de l'Outaouais, de l'importance de la zone faisant déjà l'objet de spéculation, du débordement des territoires urbains, de la poussée des citadins vers la campagne, il apparaît essentiel d'établir comme objectif la nécessité de conserver l'espace ayant un potentiel agricole.»(OPDQ, p. 216)

La conservation et la remise en production d'une «agriculture de paysage» dans les vallées étroites de l'arrière-pays et en bordure de certaines sections particulièrement fertiles de la future autoroute sur la rive gauche de l'Outaouais, m'apparaissent comme une des priorités de la mise en valeur du patrimoine naturel. Mais je n'ai plus la naïveté de croire qu'un tel objectif pourrait être atteint uniquement par une loi, si parfaite soit-elle, sur le *zonage agricole*. Il faudrait, par exemple, que la Société d'aménagement de l'Outaouais acquiert de gré à gré, ou par expropriation, des terrains stratégiques pour fins de *parcs agricoles*, de la même manière que cette société a aménagé des parcs industriels ou des parcs de loisirs et de sports.

4.1.6 Rôle de la Société d'aménagement de l'Outaouais

Sur les cinq «centres touristiques» (camping et sports nautiques) aménagés par la SAO (Société d'aménagement de l'Outaouais), quatre sont situés à plus de 100 kilomètres de l'agglomération de Gatineau-Hull, la seule ville importante de l'Outaouais québécois (150,000 habitants). De plus, aucun de ces parcs régionaux, à l'exception de celui de Maniwaki (Haute-Gatineau) n'est desservi par train ou par autobus, de sorte que les Hullois de tous âges qui ne disposent pas d'une automobile y ont accès difficilement.

Les aménagements coûteux de la SAO ne semblent pas être le résultat d'un plan d'ensemble: les parcs sont éparpillés aux quatre vents, par souci électoraliste, semble-t-il, et deux d'entre eux sont aux confins du Nord de Montréal et desservent une clientèle autant montréalaise qu'outaouaise.

Ceci m'amène à souligner l'ambiguïté apparente de la philosophie d'aménagement de la Société d'aménagement de l'Outaouais (SAO). Cette corporation paragouvernementale, à peu près unique au Québec, a été créée en 1969 par une loi de l'Assemblée nationale, suite aux recommandations du Rapport Dorion sur l'intégrité du territoire de l'Outaouais québécois. À mon avis, le but, avoué ou non, de la SAO était double: d'une part, faire contrepoids à l'influence aliénante de la *Commission de la Capitale nationale* (CCN), dont les propriétés trop considérables encerclent la ville de Hull et satellisent cette ville francophone en fonction de la métropole anglophone d'Ottawa; d'autre part, affirmer l'identité québécoise par le développement d'une économie autochtone et par la valorisation du patrimoine, en exploitant au maximum les ressources culturelles authentiques: l'artisanat amérindien de Maniwaki où les Algonquins sont majoritairement anglophones par indifférence traditionnelle de l'État québécois; le théâtre amateur hullois, pépinière de comédiens excellents qui émigrent à Montréal; la gastronomie qui attire depuis toujours les «Outaouais supérieurs» d'Ottawa, selon l'expression douce-amère d'André Laurendeau; le fabuleux Manoir Papineau à Montebello, toujours propriété des anglophones de CP-Hôtels; les Montagnes Noires de Saint-Sixte et de Ripon sillonnées par un chemin de fer inexploité pour fins de loisirs et de tourisme; la grande chute ignorée de la rivière Noire dont la beauté sauvage nous plonge en plein dix-septième siècle de la traite des fourrures, le Fort de Petites-Allumettes (Fort William), sa pinède et sa plage lumineuse, annexées par les Ontariens de Pembroke et de Petewawa.

Ces quelques exemples de non-intégration de valeurs culturelles et patrimoniales au développement économique de l'Outaouais québécois, nous amènent à réfléchir à la nécessité d'une réorientation nécessaire de la SAO qui dispose, depuis sa création, d'un budget annuel d'environ quatre millions de dollars: de quoi valoriser le patrimoine, car le loisir et le tourisme de qualité se nourrissent essentiellement de la culture locale: langue, littérature, architecture, théâtre, paysages, gastronomie, etc.

Face à une mission exceptionnelle qu'elle ne semble pas avoir perçue jusqu'à tout récemment, alors qu'elle vient de s'intéresser à la restauration d'un hôtel historique à Aylmer, la SAO n'a pas péché par excès d'imagination et elle s'est repliée dans des aménagements conventionnels, situés loin de la région immédiate de Hull, que la CCN continue d'occuper et d'angliciser en toute bonne foi, grâce, semble-t-il, à la démission de la SAO qui, par exemple, n'a pas osé recommander au Gouvernement du Québec d'acquérir la station de ski de Camp Fortune, que l'Ottawa Ski Club avait offerte, en premier lieu, à la CCN, qui avait refusé le prix demandé, puis à la SAO qui a raté l'occasion d'installer un contrepoids francophone en plein coeur du parc fédéral de la Gatineau, à proximité immédiate des 125,000 francophones de l'agglomération hulloise.

Les montagnes et les lacs qui entourent la région immédiate de Hull sont possédés et occupés en quasi-majorité par des Ontariens qui ne se gênent pas pour imposer leur unilinguisme anglais en territoire québécois. Si l'immense parc fédéral de la

Gatineau, aux portes de Hull, est bilingue, l'ambiance y est très peu francophone, à cause d'une fréquentation massive d'Ontariens unilingues. Sur les 130 kilomètres qui séparent Maniwaki et Hull, là où la vallée de la Gatineau est la plus densément peuplée d'Ontariens unilingues, la SAO est totalement absente. Pourtant, le Parc de la Gatineau est loin de suffire à la demande hulloise en plages publiques et en terrains de camping. C'est à croire que l'autoroute de la Gatineau a été construite par le Québec au profit des milliers d'Ontariens qui possèdent des chalets sur les plus beaux lacs et sur les berges de la Gatineau inférieure, à proximité des villes de Gatineau et de Hull. Là où la population francophone est la plus menacée dans son identité culturelle, la SAO semble briller par son absence.

L'étroite vallée de la Gatineau est la principale issue de l'agglomération hulloise vers son arrière-pays nordique, fait de montagnes aux formes douces et dont les replis sinueux abritent des lacs innombrables et de minuscules vallées parsemées de chalets et de fermes rarissimes. La Proche-Gatineau, c'est-à-dire celle qui est située à moins de 75 kilomètres d'Ottawa via le pont MacDonald-Cartier, recèle environ cinq résidences secondaires pour chaque habitation permanente, soit un rapport approximatif de 50,000 vacanciers pour 10,000 résidents. Les résidants francophones seraient légèrement majoritaires, alors que les vacanciers anglophones en provenance d'Ottawa seraient largement majoritaires. Je donne ces chiffres sous toute réserve; ce qui est sûr, c'est l'écrasante majorité, dans la Proche-Gatineau, des boîtes à journaux anglophones d'Ottawa sur le seul quotidien francophone de la région. Le décompte est facile à faire, si vous circulez en automobile sur la route 105 (rive droite de la Gatineau) entre Hull et Low: les quotidiens *The Citizen* et *The Journal* ont des boîtes rurales jaune et bleu au bord de la route; *Le Droit* offre à ses abonnés une boîte rouge. Si on additionne les boîtes «anglophones» (jaune et bleu) et qu'on les compare à la somme des boîtes rouges, *Le Droit* est perdant à 10 contre 1 environ. Cette constatation ne veut pas dir nécessairement qu'il y a dans la Proche-Gatineau, en fin de semaine, dix anglophones pour chaque francophone, car beaucoup de francophones d'Ottawa-Hull sont abonnés au *Journal* ou au *Citizen:* je les comprends, si je considère la qualité minable de l'information et des éditoriaux du *Droit*. Et puis, que cela déplaise ou non, Ottawa est, culturellement parlant, une ville essentiellement anglophone. Il y aurait toute une psychanalyse à faire du *Droit,* ce quotidien français d'Ottawa dont les lecteurs et les annonceurs se recrutent majoritairement dans l'Outaouais québécois, ce quotidien incolore et inodore qui secrète une espèce d'aliénation mentale à la fois chez les Franco-Ontariens et chez les Outaouais québécois. Cette ambivalence, ni chair ni poisson, a l'heur de déplaire aux élites franco-ontariennes aussi bien qu'à l'intelligentsia hulloise. Dès qu'un concurrent francophone pointera le bout du nez — il est à souhaiter que les Hullois s'autodéterminent bientôt — les jours du quotidien *Le Droit* seront comptés.

4.1.7 Le patrimoine ferroviaire

Les chemins de fer qui traversent l'Outaouais québécois d'Est en Ouest et du Sud au Nord font partie essentielle du patrimoine: à la suite des voies navigables de la rivière des Outaouais et de ses affluents en provenance de l'arrière-pays, et précédant parfois les chemins de terre, ils ont été des étapes fondamentales de mise en valeur de l'Outaouais par les Blancs, au siècle dernier. L'Outaouais québécois compte quatre lignes de chemin de fer qui sont, par ordre d'importance actuelle: 1) la ligne transcontinentale du *Canadien National* en provenance de l'Ontario et qui, assez curieusement, traverse la rivière des Outaouais en aval du Lac des Chats, dessert la mine fantôme de Bristol, l'ancienne stations balnéaire fashionnable de Norway Bay, le village agricole de Clarendon et retraverse aussitôt en Ontario, en aval de Portage-du-Fort; 2) la ligne de *CP Rail* qui remonte la rive gauche de la rivière des Outaouais, depuis Montréal jusqu'à Waltham dans le comté de Pontiac; c'est cette ligne qui traverse d'Est en Ouest la longue agglomération linéaire de Gatineau-Hull-Aylmer; 3) la ligne du *CP Rail* qui remonte la vallée de la Gatineau, depuis Hull jusqu'à Maniwaki; une section de cette ligne d'Ottawa à Wakefield est utilisée, pour fins touristiques, par la CCN qui y fait circuler un train de passagers tous les samedis, sauf durant l'hiver; 4) la ligne privée d'une entreprise forestière qui part de Thurso, en bordure de la rivière des Outaouais, et se dirige vers le Nord, en se faufilant dans les replis sinueux des Montagnes Noires pour ensuite remonter la vallée de la Petite-Nation jusqu'à l'intérieur du parc provincial de Papineau-Labelle. Notons, en passant, que ce chemin de fer traverse deux parcs régionaux de la SAO au Lac Simon et au Lac Gagnon. Cette Société d'Aménagement de l'Outaouais considère le chemin de fer comme un moyen de transport périmé et elle n'a fait aucune étude sérieuse, à ma connaissance, pour supputer les possibilités énormes des chemins de fer de l'Outaouais québécois pour le transport intra-urbain et interurbain des personnes, ainsi que pour le transport des vacanciers et des touristes à partir de Hull et de Montréal. Alors que l'Outaouais québécois doit utiliser toute sa matière grise et innover dans tous les domaines pour se libérer de la tutelle ontarienne, la SAO semble manquer d'imagniation créatrice et d'audace. Au lieu de singer la CCN comme une soeur cadette complexée, la SAO ne doit-elle pas prendre des risques calculés afin de sortir l'Outaouais québécois de la stagnation économique et du sous-développement culturel et touristique?

À l'actif de la SAO, il faut tout de même noter l'initiative un peu trop discrète — comme si on craignait de déplaire à la CCN! — de l'aménagement lent et laborieux d'un aéroport à Gatineau qui, une fois terminé, sera un apport psychologique et économique important pour la région.

4.1.8 Patrimoine et troisième âge

Après avoir besogné durant une longue vie active, les personnes âgées ont droit de jouir en toute quiétude du patrimoine collectif. Il y a environ 6,000 personnes âgées à Hull et on considère que 2,500 d'entre elles vivent en-dessous du seuil de la pauvreté. C'est dire qu'il y a un besoin urgent de s'occuper des personnes âgées de Hull qui sont défavorisées par le sort. Ce sort est d'autant plus pénible qu'un grand nombre d'entre elles habitaient des logements à bon marché qui ont été démolis pour la rénovation urbaine.

Il ne semble pas que des statistiques récentes soient disponibles sur la question, mais il est probable que beaucoup de personnes âgées soient touchées par la crise du logement qui sévit à Hull, par suite des démolitions massives de maisons à loyer modique et de la spéculation foncière générée dans l'île de Hull par les tours de béton du Gouvernement fédéral. Le président de l'Office municipal d'habitation, Fernand Nadon, déclarait récemment qu'il y a encore à Hull 1,039 familles expropriées qui n'ont pas été relogées[66] et il y a lieu de croire que cette pénurie de logements à loyer modique affecte sérieusement les personnes âgées.

Il me semble y avoir des besoins fondamentaux encore mal satisfaits à Hull: clinique autonome de gériâtrie et de gérontologie, maison d'accueil pour les vieillards qui souffrent d'isolement moral et autres maladies psychologiques reliées à la vieillesse, logements d'urgence pour dépanner ceux qui sont temporairement sans abri convenable.

Or, voici que le patrimoine collectif des Hullois pourrait venir à la rescousse du troisième âge, si le Ministère des Affaires sociales du Québec récupérait un parc boisé de vingt acres situé en bordure du boulevard Gamelin, au coeur de la ville de Hull. Propriété du Ministère fédéral de l'Agriculture, ce lieu fut longtemps clôturé et inaccessible au public à cause du danger de contamination: en effet, on y pratiquait des expériences de laboratoire sur des animaux malades ou morts.

Aujourd'hui, cette ancienne ferme expérimentale du boulevard Gamelin m'apparaît comme le lieu rêvé pour un *campus du troisième âge* répondant aux besoins énumérés plus haut. En effet, ce parc naturel est admirablement situé à quelques minutes de marche du Foyer du Bonheur (résidence pour personnes âgées), de l'Hôpital du Sacré-Coeur, de la Caisse Populaire, de l'église Saint-Raymond et des centres commerciaux (Place Cartier et Place Fleur-de-Lys).

Un campus du troisième âge sur ce terrain fédéral du boulevard Gamelin serait possible sans abattre un seul arbre et en conservant l'intégrité des pelouses existantes et des allées ombreuses: en effet, les édifices existants, une fois réaménagés, suffiraient à répondre aux besoins déjà énumérés: maison d'accueil, clinique de gériâtrie, cours de gérontologie, ateliers de bricolage, potagers, logements de dépannage. Tout ce qui est nécessaire pour que ce rêve généreux devienne réalité, c'est que les deux gouvernements (Ottawa et Québec) s'entendent pour le transfert de ce bien patrimonial au profit du troisième âge. Je me permets de recommander fortement que la Maison Scott (1863) située au centre de cette propriété fédérale, ainsi que le magnifique terrain boisé qui l'entoure, soient classés par le Ministère des Affaires culturelles. Les conséquences pratiques d'un tel classement seraient parfaitement compatibles avec la nouvelle vocation proposée pour la Maison Scott et le parc naturel qui l'entoure.

4.1.9 Patrimoine culturel et Collège de l'Outaouais

Le patrimoine culturel s'entend aussi des équipements culturels contemporains et de leur utilisation. Le tout nouveau Collège de l'Outaouais (CEGEP) boulevard de la Cité des Jeunes à Hull est un équipement culturel majeur des quartiers résidentiels du Nord de la ville de Hull. Construit il y a quelques années, au coût de $17 millions, le Collège de l'Outaouais est situé dans un site enchanteur, à l'orée des montagnes boisées du parc fédéral de la Gatineau. Ce collège possède, sauf erreur, la salle la plus luxueuse et la plus grande de l'agglomération hulloise: un amphithéâtre d'environ 700 sièges comprenant une scène spacieuse (45 pieds de profondeur), une fosse d'orchestre pour 15 musiciens, un parterre de 400 sièges, un balcon de 300 sièges et une cabine de projections. Des réaménagements intérieurs — percement de deux portes de secours à l'avant du parterre, suppression du muret de béton de la fosse d'orchestre et réaménagement des sièges et allées du parterre — permettraient d'augmenter la capacité de la salle à près de 800 sièges, soit l'équivalent du «théâtre» du Centre national des Arts à Ottawa. Avec le départ de l'Université du Québec qui occupait une partie des locaux du Collège jusqu'en juillet 1978, il serait possible de récupérer le vaste vestiaire qui fait face au mini-foyer du théâtre et de le transformer en foyer-bar et galerie d'art permanente. Le pourtour du théâtre est déjà pourvu d'un stationnement hors-rue asphalté et éclairé, d'une capacité de 400 voitures; ce stationnement est désert en fin de semaine et partiellement disponible en semaine, à cause des cours du soir dispensés par le Service de l'Éducation permanente.

Bien que situé à quatre milles du centre-ville d'Ottawa et de l'île de Hull, l'amphithéâtre du Collège de l'Outaouais est facilement accessible, grâce à l'autoroute de la Gatineau (sortie du boulevard Mont-Bleu) et au boulevard de la Cité des Jeunes. La centralité de cet équipement culturel serait considérablement augmentée si on construisait un pont sur la rivière Gatineau, dans l'axe du boulevard Gatineau. Ainsi, les quartiers résidentiels de Touraine, par exemple, seraient rapprochés considérablement en distance et en temps-trajet du Collège de l'Outaouais, car on éviterait ainsi le long détour par le Pont Alonzo-Wright ou par le Pont des Draveurs.

Ma suggestion de construire un nouveau pont sur la Gatineau, en aval du Pont Alonzo-Wright, m'amène à ouvrir une parenthèse sur le phénomène des deux villes-soeurs (Hull et Gatineau) qui se tournent le dos et sont plus étrangères l'une à l'autre qu'elles le sont individuellement vis-à-vis Ottawa. Ces barrières physiques et psychologiques qui séparent Hull et Gatineau font évidemment le jeu centralisateur d'Ottawa, et il est curieux de constater que cette question ne soit pas abordée sérieusement dans le schéma d'aménagement du territoire de la Communauté régionale de l'Outaouais. Le pont proposé aurait pour effet immédiat une amélioration radicale du transport en commun par autobus entre la ville de Hull (60,000 habitants, environ) et la nouvelle ville de Gatineau (75,000 habitants, environ). Grâce à ce nouveau pont, le collège régional de l'Outaouais se rapproche de Gatineau et il acquiert du coup une centralité urbaine qu'il n'a pas actuellement. Les conséquences culturelles et économiques de la présence d'un nouveau pont dans l'axe du boulevard Gatineau seraient génératrices d'un rapprochement à l'avantage mutuel des deux villes. Des études de prospective sur l'impact du pont suggéré pourraient être entreprises conjointement par la Société d'Aménagement de l'Outaouais et par l'Université du Québec à Hull.

Depuis des années, on parle de la nécessité de construire un centre culturel imposant à Hull. On se rappellera qu'au temps ou Monsieur Jean-Noël Tremblay était ministre des Affaires culturelles, l'imposant bateau-théâtre *l'Escale* (600 sièges, sauf erreur) fut amarré au quai de l'île de Hull, sous le pont Alexandra, et il semble que les Hullois en firent un usage peu créateur, le bateau servant de taverne flottante plutôt que de théâtre. En décembre 1977, lors de sa première visite à Hull, en tant que ministre des Affaires culturelles, Monsieur Louis O'Neill avait déclaré que l'animation culturelle était plus importante que le béton et qu'il convenait de bien utiliser les équipements existants avant de songer à édifier une coûteuse «Place des Arts» à Hull.

Si on considère que le théâtre du Collège de l'Outaouais est sous-utilisé, il faut reconnaître que le ministre O'Neill avait partiellement raison de mettre la pédale douce sur le projet d'un nouveau théâtre de prestige à Hull, attendu que le Centre national des Arts à Ottawa est raisonnablement biculturel et que son déficit considérable est épongé par les impôts de tous les contribuables canadiens. Avec le charmant Théâtre de l'Île — un théâtre de poche de 100 sièges situé dans le Vieux-Hull — et un théâtre réaménagé dans le Collège de l'Outaouais, le Ministère des Affaires culturelles, n'étant pas forcé de «subventionner le béton» dans l'Outaouais, pourrait concentrer les montants disponibles à la création d'une dotation destinée à payer des cachets professionnels aux comédiens, musiciens, décorateurs, cinéastes, écrivains, etc. de l'Outaouais qui feront preuve de créativité.

Ce qu'il faut à Hull — beaucoup plus que du «béton» — c'est un milieu stimulant et propice à la création artistique. Lors des audiences de Radio-Québec sur la régionalisation de sa production télédiffusée, audiences qui eurent lieu en 1976 dans les principales villes du Québec, j'avais proposé le déménagement à Hull des studios et du siège social de Radio-Québec. Je continue de penser, à l'heure où une grève paralyse cette institution exclusivement montréalaise, que ma suggestion mérite sérieuse considération. L'impact économique et culturel d'un tel déménagement sur l'agglomération hulloise serait énorme. D'autre part, il n'y aurait pas d'injustice envers les Montréalais qui possèdent déjà deux gros réseaux de télévision. Quant à Radio-Québec, ce serait une occasion en or de repenser sa programmation et de rétablir un certain équilibre culturel entre Montréal et le désert québécois.

4.1.10 Le Manoir Papineau à Montebello

Le monument le plus important du patrimoine de l'Outaouais québécois est sans contredit le Manoir de Louis-Joseph Papineau à Montebello. Situé à la périphérie de la région, à mi-chemin entre Montréal et Hull, ce monument historique imposant est contigü à l'hôtellerie la plus luxueuse de l'Outaouais, le Château Montebello.

En 1929, sauf erreur, le manoir seigneurial et une partie des terres et forêts attenantes avaient été offerts en vente au

Gouvernement du Québec; le premier ministre d'alors avait démontré peu d'intérêt pour ce bien patrimonial exceptionnel. Le domaine de Montebello fut donc vendu à un groupe d'hommes d'affaires anglophones qui aménagèrent une salle de bal au deuxième étage du manoir et construisirent à proximité une hôtellerie privée de grand luxe, ainsi que des chalets dissimulés dans la montagne: c'était le *Seignory Club* qui s'est démocratisé depuis quelques années, suite à son acquisition par la chaîne de *CP-Hôtels*.

Le Manoir Papineau est un bien patrimonial d'une importance considérable pour tous les Québécois et ce, pour quatre raisons principales: 1) l'intérêt *historique*; 2) la beauté et l'ambiance exceptionnelle du *site* entourant le manoir; 3) l'intérêt *architectural*; 4) la *centralité* de Montebello à 90 minutes de Montréal et à 75 minutes de l'agglomération hulloise.

L'intérêt historique du manoir de Montebello est primordial. Louis-Joseph Papineau, seigneur de la Petite-Nation, a vécu les dernières années de sa vie, après l'exil, dans son manoir de Montebello et il est inhumé dans la petite chapelle funéraire blottie sous les conifères et les grands érables du domaine, cette chapelle de pierre qui est protégée par *Héritage-Canada*. Louis-Joseph Papineau est un personnage dominant de l'histoire canadienne et une figure légendaire du peuple québécois. L'expression populaire bien connue: «ce n'est pas la tête à Papineau» indique bien le degré de fascination que ce tribun politique exerçait sur la foule.

Ce manoir est aussi un témoin authentique et prestigieux du régime seigneurial qui a marqué le patrimoine du Québec pendant plus de deux siècles.

> «Le mot *manoir*, écrit Raymonde Gauthier, est dérivé de l'ancien français *maneir*, mot lui-même dérivé du latin *manere* qui signifie *demeurer*. Sous le régime féodal, le mot *manoir* désignait la demeure du seigneur sur les terres dont il était propriétaire. (...)
>
> «Le régime seigneurial est issu de l'Europe du Moyen-Âge. Les autorités françaises optèrent pour l'instauration de ce système en Nouvelle-France, dès qu'on eut décidé de la colonisation de celle-ci. L'organisation était la suivante: on concédait des terres à des personnes dotées d'une certaine fortune, de manière à ce que celles-ci puissent à leur tour y établir des colons qui se consacrent au

défrichage et à la culture. Le seigneur est donc la personne à qui une seigneurie est concédée; (. . .) Quelques obligations sont attachées à la condition de seigneur, la plus importante en ce qui nous concerne étant celle de tenir *feu et lieu* parce qu'elle nécessitera la construction d'un manoir.»[67]

Sous le régime français, une seule seigneurie fut concédée sur le territoire actuel de la région de l'Outaouais et qui relevait alors du gouvernement de Montréal. C'est la seigneurie de la Petite-Nation (des Algonquins) concédée en 1674 à Monseigneur de Laval. Le premier évêque de Québec la céda au Séminaire de Québec qui ne l'exploita jamais. En 1801, une partie de la dite seigneurie fut cédée par le Séminaire de Québec au notaire Joseph Papineau, en paiement de certaines dettes et c'est en 1817 que son fils Louis-Joseph Papineau en devint propriétaire. Mais le manoir actuel de Montebello ne fut construit qu'en 1851, au retour d'exil de Louis-Joseph Papineau en France, suite à la défaite des patriotes de 1837.

Sur les quelques 80 manoirs recensés par Raymonde Gauthier, 30 sont aujourd'hui disparus, suite à l'incendie, à la démolition ou au vandalisme. Sur les 50 manoirs qui ont survécu jusqu'à nos jours, plusieurs sont délabrés ou en piètre état. C'est dire l'urgence qu'il y a de protéger et de restaurer l'un des plus imposants de ces monuments, soit le Manoir Papineau à Montebello. De plus, c'est le seul manoir qui existe dans la région de l'Outaouais.

La beauté et l'ambiance exceptionnelle du *site* entourant le Manoir Papineau. Ce site devrait être *classé* en vertu de la *Loi sur les biens culturels* à cause de la beauté du paysage naturel: un promontoire boisé dominant la rivière des Outaouais. Il ne suffit pas de classer seulement le monument historique que constitue le manoir; en effet, une telle harmonie se dégage de l'interpénétration du manoir et du site, qu'il importe de préserver l'ambiance exceptionnelle qui se dégage de cet heureux mariage entre le paysage naturel et les constructions de l'homme. De quoi est faite cette ambiance extraordinaire? Principalement, au fait que le site est interdit à la circulation des autos et que l'on doive obligatoirement accéder à pied au manoir, par une allée bordée de grands arbres, d'où l'asphalte est absente, ainsi que les autres signes de la civilisation automobile, de sorte que le visiteur est plongé en plein romantisme du dix-neuvième siècle.

En consultant la carte ci-jointe et intitulée «Emplacement du Manoir Papineau», on constatera que le rayon de protection de 500 pieds (ou 152,4 mètres) est libre de toute construction à l'exception, bien entendu, du manoir et de ses dépendances. En effet, à l'intérieur du cercle indiqué sur la carte, on trouve, grosso modo, un tiers de nappe d'eau (la rivière des Outaouais), un tiers de promontoire boisé (l'emplacement du manoir) et un tiers de clairière utilisée comme champ de tir à l'arc par les clients du Château Montebello. Si on trace un second rayon de protection à partir de la chapelle funéraire de la famille Papineau, située à l'extérieur du premier rayon, on aura une bonne idée du territoire dont il est question ici. L'admirable domaine boisé contenu à l'intérieur des deux cercles (qui se chevauchent partiellement) mentionnés plus haut, mériterait certes d'être acquis par la Société d'aménagement de l'Outaouais, car il s'agit, à mon avis, de l'attrait touristique le plus important et le plus négligé de l'Outaouais québécois. Les plans et les relevés de façades qui accompagnent mon texte sont extraits d'un relevé fait par l'École d'architecture de l'Université de Montréal, en septembre 1974, sous la direction du professeur Laszlo Demeter. Ce dossier photographique et cartographique détaillé a été exécuté pour le compte du Ministère des Affaires culturelles, Direction générale du patrimoine, Service de l'inventaire des biens culturels.

Le propriétaire actuel du Manoir Papineau à Montebello est *Commandant Properties Limited* qui est également, sauf erreur, propriétaire du Château Montebello. L'évaluation municipale du manoir est la suivante: terrain: $400,800.; bâtiments: $1,837,000. La taxe foncière annuelle est de $33,619.95. Selon un article du professeur Roger Lemoine paru dans la revue *Asticou*, numéro de septembre 1972, le manoir fut vendu en 1929, par la veuve de Louis Papineau (née Caroline Rodgers) au *Seignory Club*. Madame Papineau et ses enfants partirent avec les meubles qui leur convenaient. Les gérants de l'hôtel «empruntèrent» certaines pièces du mobilier et le reste fut vendu à l'encan. Quant aux 30,000 livres que contenait la tour-bibliothèque de Louis-Joseph Papineau, ils furent vendus à un antiquaire de Montréal.

Par son site forestier romantique, par l'élégance horizontale de ses façades et la force verticale de ses trois tours, le Manoir de Montebello se découvre soudain comme un château merveilleux surgi d'un livre d'images. Construit en plein milieu du dix-neuvième siècle, le manoir Papineau est un amalgame bizarre de plusieurs styles à la mode de l'époque. Pour comprendre l'anatomie de ce château imposant et, semble-t-il, unique au Québec, nous considérons qu'il est composé de trois parties bien distinctes: 1) le corps principal du bâtiment; 2) les trois tours de Louis-Joseph Papineau (la ronde, l'octogonale et la carrée) et, 3) le «solarium» qui fut ajouté plus tard par son fils Amédée.

1) Le corps principal du bâtiment est de tradition anglaise ou georgienne et son architecture s'apparente à ce que Gérard Morrisset appelait «le cottage anglo-normand». Les caractéristiques principales du style georgien sont le toit à quatre versants avec cheminées intégrées et les façades symétriques. Ces maisons bien proportionnées comprennent généralement deux étages et demi avec lucarnes. Si on fait abstraction des trois tours et de la rallonge, le Manoir Papineau est de la même famille que d'autres manoirs québécois de la même époque: citons, à titre d'exemples comparatifs, trois édifices existants: le Manoir de Saint-Ours, le Manoir Johnson à Saint-Mathias de Rouville et le Manoir Couillard de l'Espinay à Montmagny.

Toujours en faisant abstraction des tours et de la rallonge Amédée, on ne peut s'empêcher d'admirer l'élégance de la *façade Nord* (voir croquis), son vaisseau horizontal orné d'une véranda accueillante, la finesse des lucarnes et l'envol du toit coiffé d'une balustrade gracieuse. À cause de l'absence de véranda et d'une légère dénivellation du terrain, la *façade Sud* (voir croquis) semble beaucoup plus élevée et rappelle les châteaux européens avec le balcon de fer forgé orné d'un «P» impérial! Cette façade qui donne sur une pelouse encadrée d'arbres, est le lieu rêvé pour des concerts à la belle étoile: une autre idée culturelle et touristique qui devrait intéresser la SAO et le Comité culturel de l'Outaouais.

Les murs du corps principal du bâtiment sont «en pierre de carrière grossièrement taillée et ont une épaisseur de 33 pouces à la base. Le carré a 9,75 m. de hauteur. (. . .)À l'intérieur du carré, les murs sont recouverts de plâtre peint.»[68]

2) Les trois tours. D'après le dossier établi par l'École d'architecture de l'Université de Montréal, les deux tours-escaliers situées aux extrémités Sud-Est et Sud-Ouest (la tour octogonale et la tour ronde) faisaient partie des plans originaux de l'architecte Louis Aubertin, préparés, semble-t-il, aux environs de 1846. Il se peut que la tour octogonale ait été construite plus tard, par le fils Amédée Papineau. Comme les plus anciennes photos du manoir datent de 1880 et qu'elles montrent l'édifice tel qu'il est encore aujourd'hui, il est difficile de savoir à quelle date furent faites les transformations. Comme il n'y a pas trace d'escaliers dans le carré central (64′ × 46′ de l'édifice, il est plausible que les deux tours-escaliers aient été pensées par l'architecte Aubertin. Il est aussi plausible que la tour octogonale n'ait été construite qu'après la mort de Louis-Joseph Papineau survenue à l'automne de 1871.

D'après les plans originaux de Louis Aubertin, toutes les façades auraient été entourées d'une véranda de deux étages et de gros pilastres supportaient les planchers et le larmier. «On trouve dans la maçonnerie, des traces de poutres coupées qui permettent de supposer que la galerie faisait tout le tour de la maison».[68]

Venons-en à la plus impressionnante des trois tours, c'est-à-dire la *tour carrée* qui rappelle une autre tour «littéraire», celle où Montaigne composa ses célèbres *Essais*. Il semble que Louis-Joseph Papineau ait voulu déménager sa précieuse bibliothèque de sa maison du Vieux-Montréal (rue Bonsecours) à son manoir de Montebello. Reprenons ici une citation fort intéressante et déjà citée par Roger LeMoine[69]. En mai 1856, Papineau, âgé de 70 ans, écrivait à Robert Christie: «Je me suis décidé à me bâtir une haute tour, détachée de la maison, mais assez rapprochée pour que, à quelque distance, elle en paraîtra comme une aile. Je la fais à l'abri du feu, pour mettre à couvert de ce risque, mes chers livres et le grand nombre de contrats et de papiers à la conservation desquels tant de familles peuvent être intéressées dans la seigneurie.» C'est donc en 1855 que Louis-Joseph Papineau fit construire cette tour carrée en pierre dont les murs ont une épaisseur de 21 pouces. Sur la face Sud de cette tour-bibliothèque à trois étages, on trouve une porte au rez-de-chaussée et une fenêtre à chacun des trois planchers supérieurs. Les trois autres murs de la tour carrée sont aveugles.

Cette bibliothèque aurait contenu, du vivant de Louis-Joseph Papineau et de son fils Amédée, 30,000 volumes environ. Il est malheureux que ce bien culturel ait été vendu, en 1929, à un antiquaire de Montréal.

3) La *rallonge* — le salon bleu — construite par Amédée Papineau après la mort de son père, est peut-être l'élément qui surcharge l'ensemble et sabote la pureté des lignes du corps principal du bâtiment. Dans un projet de restauration, conviendrait-il de supprimer cette rallonge hétéroclite? La question est posée aux spécialistes. «Il reste difficile d'évaluer le manoir Papineau, conclut le rapport de l'École d'architecture[68], par rapport à la québécensia, puisqu'aucune étude vraiment poussée n'a été effectuée jusqu'à présent dans le cas des manoirs; à savoir, les proportions, les divisions, les structures, . . . etc.

> «À première vue, il semble que l'architecte a choisi le modèle anglo-normand, fort à la mode à l'époque, comme noyau, agrémenté de tours d'angles octogonales qui firent la renommée des plus beaux manoirs et châteaux français d'esprit médiéval. Le cadrage des fenêtres et des portes garde, par contre, une tradition bien québécoise. Les apports postérieurs d'Amédée Papineau ont malheureusement surchargé, dans l'esprit victorien du temps, le modèle initial, beaucoup plus simple. Tous ces apports ont fait du manoir Papineau un exemple unique d'une époque importante dans l'histoire du Canada-français, construit par un des piliers les plus importants de notre histoire: Louis-Joseph Papineau.»

Il convient maintenant de s'interroger sur le sort qui attend le Manoir Papineau à Montebello. À l'exception de la chapelle funéraire qui est protégé par *Héritage-Canada,* il semble bien que l'avenir du manoir et de son environnement immédiat (à l'intérieur d'un rayon de 500 pieds) repose uniquement sur le civisme et le bon goût de ses propriétaires *Commandant Properties Limited* qui sont, sauf erreur, une filiale des *Canadian Pacific Hotels*.

Parce qu'il s'agit d'un bien patrimonial d'envergure nationale et d'un pôle touristique et culturel majeur de la région de l'Outaouais, il serait convenable que le Ministère des Affaires culturelles et la Société d'aménagement de l'Outaouais unissent leurs efforts en vue de l'acquisition du manoir et des terrains compris à l'intérieur des deux rayons de 500 pieds mentionnés précédemment. Il s'agit d'un cas où un *monument historique* et un *site naturel* sont intimement liés et devraient être acquis et sauvegardés comme un tout indivisible. Il faut savoir gré au propriétaire actuel d'avoir conservé la beauté naturelle du promontoire boisé qui dissimule le manoir au mobilier urbain du vingtième siècle et lui conserve cette ambiance romantique de l'âge du cheval. De quoi est faite, au juste, cette ambiance qui rend inoubliable une visite au Manoir Papineau? Du fait essentiel, à mon avis, que le visiteur doive y accéder à pied, d'une part, et que le piéton déambule dans un paysage enchanteur exempt de toute trace du vingtième siècle motorisé, d'autre part. Qu'il vienne du Château Montebello à l'Ouest ou de la chapelle funéraire à l'Est, le piéton gravit une allée forestière où les peuplements adultes — chênes, érables et conifères — isolent complètement le manoir de la vie moderne et offrent parfois des échappées visuelles féériques sur une tour du château ou sur les eaux miroitantes de la rivière des Outaouais dont les eaux tranquilles rêvent au pied du promontoire de Montebello. En automne, ce paysage feutré et tout en douceur a quelque chose d'irréel, comme le mystérieux domaine des Sablonnières dans *Le Grand Meaulnes* d'Alain Fournier. L'expérience esthétique de l'accès piétonnier au Manoir Papineau est plus importante encore que la visite du monument lui-même, dont les transformations intérieures et le pillage de l'ameublement originel sont décevants. Aussi devrait-on s'attacher à conserver à tout prix la *sauvagerie* naturelle du couvert forestier et des clairières qui entourent le manoir, car il s'agit d'un des rares monuments du Québec où l'automobile, l'asphalte et le béton sont invisibles! Il faudra donc beaucoup de sensibilité et de sens du paysage à l'autorité qui sera responsable de la conservation de ce bien culturel d'une valeur inestimable.

Une fois propriété de l'État québécois, la vocation et l'utilisation du Manoir Papineau posent des problèmes délicats de mise en valeur et de gestion, car l'entretien et la protection d'un monument et d'un site sont parfois plus coûteux que leur acquisition. Si la rentabilité directe du Manoir Papineau est très problématique, il reste que sa rentabilité indirecte serait importante pour l'industrie touristique de l'Outaouais québécois. Situé tout à côté de la plus importante hôtellerie — le *Château Montebello* — de l'Outaouais québécois, le Manoir Papineau a une vocation touristique et une clientèle certaine. En termes d'économie de gestion, ce voisinage d'un grand hôtel et d'un monument historique sont à l'avantage réciproque des deux institutions. D'une part, les services d'accès automobile et de stationnement déjà fournis par le Château Montebello continueraient d'être utilisés par les visiteurs d'un Manoir Papineau devenu musée d'État et centre culturel régional, moyennant une entente, ce qui assurerait la conservation du *paysage sauvage* qui entoure le manoir. D'autre part, la présence d'un musée et d'un centre culturel de haute qualité à Montebello auraient des retombées économiques non négligeables sur l'Outaouais, en général, et sur le Château Montebello, en particulier.

En terminant, je me permets d'esquisser les éléments possibles d'une entreprise culturelle décentralisée et gérée par les gens du milieu, c'est-à-dire le Comité culturel de l'Outaouais, la Société d'aménagement de l'Outaouais et la Municipalité de Montebello. Distinguons trois éléments possibles d'animation culturelle sur le promontoire enchanteur du Manoir Papineau: 1) le musée Papineau; 2) le théâtre d'été; 3) la bibliothèque municipale dans la tour carrée.

1) Le *Musée Papineau* occuperait le rez-de-chaussée et l'étage du corps principal du manoir. Voici un scénario possible: le visiteur accéderait à l'intérieur du bâtiment par la petite porte située au pied de la tour ronde: au son d'une musique de chambre du début du dix-neuvième siècle, il gravirait l'escalier circulaire jusqu'à l'étage transformé en cinéma où il serait convié à visionner un film couleurs sur écran panoramique relatant les faits saillants de la vie mouvementée de Louis-Joseph Papineau. Muni d'écouteurs individuels diffusant la bande sonore en français ou en anglais, le visiteur serait immédiatement plongé dans un bain d'histoire audio-visuelle d'une durée approximative de vingt minutes. La projection serait continuelle et le visiteur serait libre de quitter le cinéma à sa convenance pour descendre ensuite le magnifique escalier de la tour octogonale jusqu'au rez-de-chaussée où il visiterait le salon, la salle-à-manger, la chambre à coucher de Papineau pour sortir par la porte principale du manoir.

2) *Le théâtre d'été*. À la périphérie immédiate du rayon de protection de 500 pieds (voir le plan intitulé «Emplacement du Manoir Papineau»), c'est-à-dire dans l'angle Nord-Ouest de la clairière où se trouve le champ de tir à l'arc et au pied du promontoire au sommet duquel se dissimule le manoir dans le feuillage, je suggère la construction d'un théâtre d'été, sorte de structure légère et fonctionnelle dans le genre du nouveau *Théâtre du Bois de Coulonge* à Québec. Cette scène estivale de Montebello serait prioritairement à la disposition des dramaturges, metteurs en scène et comédiens de l'Outaouais francophone qui pourraient y présenter, par exemple, les meilleures productions montées l'hiver précédent au *Théâtre de l'Île* ou au *Théâtre du Mont-Bleu* (cf. mon projet de rénover l'amphithéâtre du Collège de l'Outaouais) à Hull. Générateur d'emplois et d'activités touristiques, ce théâtre d'été s'insère, à mon avis, dans le mandat confié à la Société d'aménagement de l'Outaouais qui dispose d'un budget annuel de quatre millions de dollars. Si la SAO a construit une *marina* et a rénové une maison ancienne de Hull pour la transformer en restaurant de luxe, pour la jouissance d'une minorité de Hullois et de touristes, je ne vois pas ce qui empêcherait cette société — sauf un manque d'imagination et de culture — de construire un théâtre d'été à Montebello.

Situé sur le terrain d'un hôtel prestigieux — le Château Montebello — dont la clientèle en provenance de Montréal et de l'Outaouais est de plus en plus francophone ou bilingue, ce théâtre d'été serait certainement rentable, ne serait-ce que dans ses retombées culturelles et économiques. Mais je reste persuadé que la réussite de ce théâtre d'été dépend essentiellement de son intégration aux activités touristiques générées par le *Château Montebello*. Ainsi on pourrait attirer de nouveaux clients à l'hôtel par la vente de billets théâtre-dîner, c'est-à-dire un «package-deal» comprenant des sièges réservés au théâtre à 19:00 heures et une table réservée pour un dîner gastronomique à 21:00 heures dans la magnifique salle-à-manger de ce grand hôtel de l'Outaouais québécois. La voie ferrée de CP-Rail aboutissant à la porte de l'hôtel, on pourrait même organiser des trains-apéritifs au départ d'Ottawa, Hull et Montréal à 17:30 heures avec arrivée au Château Montebello pour le spectacle de 19:00 heures au théâtre d'été et retour des trains après le dîner à l'hôtel vers 23:00 heures. Ces trains spéciaux de *tourisme culturel* amèneraient aussi à Montebello des visiteurs désireux de participer aux spectacles historiques genre son-et-lumière, que je suggère d'organiser sous les étoiles et sur les pelouses du Manoir Papineau. La façade Sud du manoir se prête admirablement à un tel spectacle qui pourrait être suivi de concerts de musique de chambre, de chant et d'opérette. Ces concerts seraient un débouché intéressant, par exemple, pour le Conservatoire de musique de la ville de Hull. En cas de pluie, les spectacles de plein air auraient lieu dans le théâtre d'été — à deux pas du manoir — dont la scène serait libérée, en principe, à 21:00 heures.

Les illuminations nocturnes du Manoir Papineau, en toutes saisons, les spectacles historiques son-et-lumière sous les nuits étoilées de l'été, l'animation audio-visuelle permanente à l'intérieur du manoir, le théâtre d'été, le grand hôtel voisin, les trains-apéritifs Montréal-Montebello et Ottawa-Hull-Montebello, le billet spécial train-théâtre-dîner ou train-spectacle-son-et-lumière ne sont que des exemples à peine esquissés qui voudraient démontrer que le développement économique d'une région sous-développée comme l'Outaouais pourrait être intimement lié à son épanouissement culturel par la valorisation de ses talents individuels et de sa personnalité régionale.

3) *La bibliothèque municipale*. Rien de plus triste à voir que l'état d'abandon et de délabrement à l'intérieur de cette tour carrée qui abrita jadis les 30,000 méditations et les 30,000 volumes de ce personnage immense de notre histoire: Louis-Joseph Papineau. Si le projet de réaménager cette tour historique en bibliothèque minicipale ou en musée d'histoire régionale s'avérait incommode, il faudrait songer à une utilisation à la fois culturelle et fonctionnelle: peut-être un ascenseur audio-visuel, dans le genre de celui du Pavillon du Québec à l'Expo 67?

Trop de sites et de monuments québécois ont été défigurés par des aménagements pavés de bonne intentions et de millions de dollars jetés par les fenêtres de nos légendaires improvisations électoralistes à tous les niveaux de gouvernement. J'insiste une dernière fois sur une idée essentielle: l'accès automobile et ses séquelles polluantes devraient à tout prix être interdits aux visiteurs et fonctionnaires sur le site du manoir. Les chemins forestiers existants sont suffisants pour livrer passage à un camion à incendie, cet autre danger qui menace le manoir!

4.2 Le schéma d'aménagement de la Communauté régionale de l'Outaouais

4.2.1 L'approche régionale

L'objectif majeur du schéma d'aménagement, c'est la «création d'une métropole régionale forte» à Hull. Le schéma définit ainsi ce qu'il entend par métropole:

> «La création d'une métropole régionale forte fait référence au rôle de leadership que peut jouer une agglomération urbaine sur le territoire qu'elle polarise, par les activités administratives, commerciales et culturelles qui s'y retrouvent. Une métropole se définit avant tout par le niveau de fonctions qu'elle assume plutôt que par une réalité spatiale physique concrète. (. . .)
>
> «La conurbation Hull-Ottawa assume cette fonction de métropole pour une vaste région s'étendant de part et d'autre de la rivière des Outaouais. Cependant, les frontières géo-politiques inscrites sur ce territoire découpent une réalité un peu plus complexe.»[70]

Ici commence, semble-t-il, l'ambiguïté du schéma. En premier lieu, l'expression de «conurbation Hull-Ottawa» est inadéquate: Hull est, en fait, un satellite urbain d'Ottawa, un satellite urbain qui jouit d'une autonomie politique relative, grâce à son appartenance au Québec et à sa majorité francophone. Mais, du point de vue de l'économie et des services, la dépendance de Hull envers Ottawa est quasi-totale.

En second lieu, la conception d'une métropole hulloise polarisant le côté québécois déjà polarisé par la ville d'Ottawa, m'apparaît d'autant plus utopique que le schéma s'appuie sur la croissance des emplois fédéraux en territoire québécois et sur l'augmentation démographique corollaire, pour créer «sa» métropole.

Cette conception d'une métropole hulloise destinée à renforcer «l'identité culturelle» francophone, est aléatoire et même suicidaire. En effet, on peut raisonnablement prévoir que 75 pour cent des emplois fédéraux qui seront déménagés ou créés dans l'agglomération urbaine de Hull, seront occupés par des anglophones qui par leur nombre prépondérant au travail en langue anglaise — et la probabilité que plusieurs d'entre eux élisent domicile en territoire québécois —, seront une menace quotidienne à cette identité culturelle francophone que le schéma d'aménagement veut précisément renforcer.

On a l'impression pénible que le schéma exaspère la dépendance de Hull vis-à-vis d'Ottawa, la métropole incontestée de la Vallée de l'Outaouais.

En bref, il semble que les implications culturelles de la croissance hulloise prévue par le schéma d'aménagement de la CRO, soient incompatibles avec l'objectif majeur de renforcement de l'identité culturelle.

> «La part relative de la population francophone dans l'ensemble de la région métropolitaine de Hull et Ottawa est à la baisse et on prévoit que de 36.6 pour cent en 1971, elle passera à 36.0 pour cent en 1986 et à 35 pour cent en 2001. Par ailleurs, la proportion de francophones dans l'agglomération de Hull était de 80 pour cent et, pour assurer la survivance à long terme du fait français, il apparaît essentiel qu'elle soit maintenue à ce niveau au cours des années à venir. Or, pour ce faire, la CRO devra accueillir sur son territoire une part proportionnellement plus importante de la population francophone de la région métropolitaine à mesure qu'elle accroîtra sa part relative de la croissance globale.»[71]

Il s'agit, en somme, d'une invitation à peine voilée aux Franco-Ontariens d'Ottawa, à déménager du côté québécois de l'agglomération urbaine. Et pour séduire les Franco-Ontariens, le schéma d'aménagement de la CRO mise «(. . .) sur le développement d'équipements éducatifs et culturels d'excellente qualité susceptibles de favoriser la migration de francophones du milieu ontarien vers le secteur québécois, pour contribuer à maintenir la majorité française de la Communauté à un niveau acceptable.»[72]

L'ambiguïté du schéma d'aménagement du territoire de la Communauté régionale de l'Outaouais (CRO) découle, en deuxième lieu, de l'ambiguïté fondamentale de la région elle-même. Existe-t-elle réellement cette région de l'Outaouais québécois, dont Hull serait la capitale? Des spécialistes s'interrogent sur cette question capitale. Le géographe Pierre Cazalis, pour sa part, écrivait en 1967:

«L'authenticité d'une région fonctionnelle, normalement autonome, centrée sur Hull, nous inspire (. . .) des doutes. Sa faible population (150,000 habitants à peine), la polarisation effective exercée par Ottawa, sous le couvert de Hull qui n'est qu'une banlieue de la capitale fédérale, porte à croire que la qualificatif de région a été accordé dans ce cas à cause de l'éloignement des grands centres urbains québécois et de la situation marginale de cette zone et non à cause de la polarisation exercée par Hull.»[73]

Les centres urbains, ajoute Pierre Cazalis, sont les piliers du développement. «Dès lors, écrit-il, ne peuvent être que boiteuses les régions économiques privées d'un pôle régional bien équipé, exerçant son influence directement ou par l'intermédiaire des villes-relais sur un espace assez vaste et peuplé, drainé par un bon réseau de communications. Il n'est pas douteux qu'une telle organisation régionale fait largement défaut au Québec et que les disparités que nous soulignions plus haut ont là leur cause première.»[74]

Même si Pierre Cazalis est d'avis que «(. . .) des populations inférieures à 300,000 habitants ne justifient ni centres universitaires complets, ni gamme complète de fonctions tertiaires (. . .)», il croit cependant que «(. . .) si l'on veut un jour équilibrer l'espace québécois, ces équipements deviendront indispensables et il faudra accepter qu'ils soient provisoirement sous-employés.»[75]

C'est dans cet esprit que l'Office de planification et de développement du Québec (OPDQ) proposait de «sur-équiper» la ville de Hull, afin d'y provoquer l'émergence d'une polarisation régionale ayant un certain degré d'autonomie par rapport à la polarisation exercée par Ottawa. Ce «sur-équipement» est d'autant plus nécessaire — à cause du danger d'aliénation culturelle et d'anglicisation de cette communauté francophone —, qu'il est amplement justifié par l'augmentation rapide de la population dans l'Outaouais québécois.

Dans un texte prophétique sur la dichotomie entre les régions centrales du Québec — dans l'axe du St-Laurent — et ses régions périphériques, le géographe Marcel Bélanger écrivait, il y a dix ans, ce qui suit:

«(. . .) Le destin des régions «périphériques» apparaît aujourd'hui incertain: un peu partout on y observe des stagnations, des dépeuplements qu'expliquent l'abandon de l'agriculture, la mécanisation des emplois dans les mines et les forêts. Ces régions «rurales» prennent de plus en plus l'allure de territoires subventionnés par la ville, phénomène qui se matérialise par l'importance qu'y prennent les prestations de toutes sortes et par le rôle des services publics au sein des activités tertiaires.(. . .)

«(. . .)À la recherche de «méthodes et d'approches», nous n'avons pas encore perçu que l'immense Québec ne forme qu'une seule région-plan, définie par les effets polarisateurs de ce qui est aujourd'hui Montréal, de ce qui sera demain la mégalopolis laurentienne; (. . .) Il faut y insister longuement, cette prise de conscience et la formulation d'une politique cohérente sont d'autant plus difficiles que nous avons laissé s'aggraver entre régions centrales et régions périphériques des oppositions dont la signification politique est considérable.»[75]

Enfin, le géographe Henri Dorion suggère que «(. . .) le schéma des régions d'aménagement se superpose exactement à celui des régions administratives, des régions homogènes et des régions fonctionnelles.»[76]

Or, ce n'est manifestement pas le cas de la région administrative 07 (Outaouais) et du schéma d'aménagement de la Communauté régionale de l'Outaouais. En effet, les deux seules villes de l'arrière-pays de la région 07, Maniwaki et Mont-Laurier, ne sont pas incluses dans le territoire de la Communauté régionale de l'Outaouais, ce qui tendrait à démontrer la pertinence de l'hypothèse soulevée par l'OPDQ, à savoir que l'Outaouais constitue une zone frontalière plutôt qu'une région.

«Vue sous l'angle économique et spatial, l'Outaouais québécois apparaît avant tout comme une zone frontalière, puisque 75 pour cent de la population régionale habite le long de la rivière des Outaouais, du comté de Pontiac à l'Ouest, jsuqu'au comté de Papineau à l'Est. Or, cette zone frontalière est en grande partie polarisée par l'Ontario, particulièrement Ottawa, Pembroke et, à moindre degré, Hawkesbury. Voilà le phénomène central qui caractérise l'Outaouais québécois. (. . .) Dans l'Outaouais québécois, Hull qui doit jouer le rôle de capitale régionale est elle-même polarisée par Ottawa et n'a pas, pour ainsi dire, d'arrière-pays. La région administrative de l'Outaouais représente donc un cas unique au Québec, voire même au Canada.»[77]

Pour séduire les Hullois, d'une part, et les francophones d'Ottawa, d'autre part, nous proposons l'hypothèse d'une capitale régionale provisoirement artificielle à Hull et, en cela, nous rejoignons, semble-t-il, le diagnostic de l'OPDQ et du géographe Pierre Cazalis. En effet, les effets d'entraînement d'un pôle urbain dans l'Outaouais québécois pourraient peut-être générer l'émergence d'une région véritable, ce qui n'est pas le cas à l'heure actuelle.

Mais cette géographie volontaire, cette création d'une capitale régionale provisoirement artificielle, ne sont possibles que grâce à une volonté politique cohérente et permanente du gouvernement québécois, d'une part, et du gouvernement fédéral, d'autre part.

La régionalisation de l'industrie au Québec est à la base de cette volonté politique. Or, ni la loi provinciale de 1961 sur les fonds industriels, ni la loi fédérale de 1963 sur les «régions désignées» n'ont réussi à atténuer le déséquilibre industriel et démographique grandissant entre la région de Montréal et les autres régions du Québec.

C'est que toute intervention des gouvernements en faveur des régions périphériques, comme l'Outaouais, par exemple, sera vaine sans une politique globale de l'économie québécoise et du rôle que la région de Montréal jouera dans cette économie. «(. . .)On est amené ainsi, écrit l'économiste Robert Hirsch, à poser le problème de la division de la province en zones susceptibles de recevoir plus ou moins d'incitations financières et fiscales. Le choix de telles zones dans le cas du Québec ne sera possible que si le rôle futur de la région de Montréal est défini. Doit-on décourager l'implantation de nouvelles industries dans cette région afin d'essayer de rompre un déséquilibre presque centenaire ou, au contraire, doit-on encourager ces implantations dans la région de Montréal, afin notamment de maintenir à Montréal son caractère de métropole canadienne? Cet argument fréquemment invoqué gagnerait d'ailleurs à être démontré, car le fait que d'autres grandes agglomérations nord-américaines croissent de façon démentielle ne constitue pas nécessairement l'exemple à suivre. Poser le problème du développement industriel des régions, sans poser au préalable le problème de l'avenir de la région de Montréal, ne serait, répétons-le, ni réaliste, ni efficace.»[78]

4.2.2 Incompatibilité du schéma

Il semble, écrivions-nous au début de ce chapitre, que les implications culturelles de la croissance hulloise proposée par le schéma d'aménagement du territoire de la Communauté régionale de l'Outaouais, soient incompatibles avec l'objectif majeur du renforcement de l'identité culturelle.

En effet, ce schéma de développement urbain de l'agglomération hulloise mise essentiellement sur la «base motrice fédérale»[79] anglicisante. Voyons de plus près cette question vitale pour la survie francophone de l'Outaouais québécois:

> «Un recensement effectué à l'été 1973 par la CCN a dénombré 94,032 emplois fédéraux dans la région de la capitale dont 5,782 étaient localisés en secteur québécois. Nous savons également que selon la programmation établie par le gouvernement fédéral pour l'implantation de ses édifices administratifs, il y aura en 1988 environ 33,000 emplois fédéraux sur la rive québécoise. (. . .) En fonction de l'objectif énoncé plus haut qui vise à implanter en secteur québécois un nombre d'emplois fédéraux proportionnel à son poids démographique dans l'ensemble de la région métropolitaine, la part relative du secteur québécois devrait se fixer à 31 pour cent, soit environ 60,000 emplois en 2001. Ce chiffre apparaît tout à fait compatible avec la capacité d'accueil du territoire, mais il faut souligner qu'il doit être considéré comme un maximum permissible dans l'optique de la préservation de l'identité culturelle de l'Outaouais québécois.»[80]

Nous prétendons, à tort ou à raison, que ce «maximum permissible» est incompatible avec l'objectif majeur du schéma: la sauvegarde de l'identité culturelle. Supposons un instant que la moitié de ces 60,000 fonctionnaires élisent domicile dans la zone québécoise de l'agglomération Ottawa-Hull. Sur ces 30,000 nouveaux résidents, retranchons 25 pour cent de fonctionnaires que nous considérons comme francophones. Voilà donc 22,500 fonctionnaires anglophones et généralement unilingues, dont la langue de travail est l'anglais — donc difficilement françisables ou «bilinguisables» — qui, désormais, vont habiter et travailler en terre québécoise. Supposons enfin qu'ils sont tous mariés et qu'ils ont un enfant par ménage, en moyenne. Cela donne 67,500 nouveaux citoyens anglophones (soit plus que la population actuelle de la ville de Hull) et environ 20,000 nouvelles inscriptions à l'école anglaise.

Pour avoir une petite idée du danger culturel que représente cette hypothétique invasion anglophone à Hull, voyons ce qui se passe actuellement à Aylmer, petite ville québécoise voisine de Hull. Il n'y a aujourd'hui que 12,000 anglophones à Aylmer sur une population totale de 25,000 habitants environ. Or, Aylmer est déjà majoritairement anglophone, comme langue d'usage, et elle affiche un taux de transfert linguistique (du français à l'anglais) plus élevé qu'à Vanier en Ontario.

Si 22,500 fonctionnaires anglophones d'Ottawa traversent la rivière pour élire domicile dans l'agglomération hulloise et si l'école française ne devient pas obligatoire pour leurs enfants, c'est la fin de la francophonie en Outaouais ontarien et québécois. Tout au plus, en l'an 2030, le français y deviendra-t-il une langue marginale comme à Ottawa en 2001. Quand on connaît la prostitution linguistique pratiquée traditionnellement par une certaine élite franco-ontarienne et hulloise, il y a lieu d'être pessimiste face à l'intolérable statu quo socio-économique francophone qui perdure en Outaouais.

Advenant le déménagement résidentiel de 20,000 fonctionnaires anglophones d'Ottawa en zone québécoise, il sera mathématiquement impossible de conserver une majorité francophone de 80 pour cent sur le territoire de la Communauté régionale de l'Outaouais. Or, les spécialistes de l'OPDQ et de la CRO ont reconnu que la conservation de l'identité culturelle francophone dans la CRO est liée au maintien d'une majorité francophone de 80 pour cent, à cause de l'extrême vulnérabilité de la langue et de la culture française dans cette zone frontalière de l'Outaouais.

4.2.3 Un centre-ville ambigu

«L'aménagement et la structuration d'un centre-ville régional — lit-on dans le schéma d'aménagement de la CRO —, s'avère une des premières priorités à l'échelle de la planification régionale. Le concept d'organisation spatiale retenu pour le présent schéma assigne à l'île de Hull ce rôle de premier plan.»[81]

Cette «assignation» à l'île de Hull d'un centre-ville régional, ressemble étrangement à une démission de la CRO, face à ses responsabilités en matière d'urbanisme. En effet, le schéma endosse, sans explications, le plan directeur d'urbanisme de 1972 et le plan quinquennal d'habitation de 1975 de la Ville de Hull, qui concernent tous deux l'île de Hull. De plus, le schéma semble s'en remettre aux décisions futures d'un comité intergouvernemental de l'île de Hull, lequel comité «(. . .) a résolu de commanditer la confection d'un plan d'aménagement et de développement»[82] de l'île de Hull et de ses abords.

Ce comité, créé par le Gouvernement du Québec en août 1975, «(. . .) est composé de représentants des ministères des affaires intergouvernementales et des affaires municipales du Québec, de la Commission de la capitale nationale, de la Communauté régionale de l'Outaouais, de la Société d'aménagement de l'Outaouais et de la Ville de Hull.»[83] Une Tour de Babel, quoi!

Pourtant, des questions fondamentales se posent quant à l'existence et à l'avenir d'un centre-ville régional à Hull. En voici quelques-unes qui semblent escamotées par le schéma de la CRO:

1. Suite à la désindustrialisation récente de l'île de Hull, provoquée par les expropriations et achats d'immeubles par la CCN avec le consentement tacite des autorités municipales, des élites hulloises et du Gouvernement du Québec, le centre-ville traditionnel des Hullois, rue Principale, s'est-il déplacé partiellement sur le boulevard St-Joseph où trois centres commerciaux sont agglutinés entre les rues Montclair et St-Raymond? Mais en même temps, le centre-ville d'Ottawa a-t-il polarisé davantage la clientèle hulloise? Peut-on affirmer que le véritable centre-ville régional de l'Outaouais québécois se trouve à Ottawa, bien qu'il existe un embryon de centre-ville local à Hull, sur le boulevard St-Joseph?

2. Doit-on ressusciter artificiellement l'ancien centre-ville de la rue Princiaple (dans l'île de Hull) ou, plutôt, consolider le nouveau centre-ville embryonnaire du boulevard St-Joseph à Hull?

3. Doit-on accepter le concept d'aménagement de la Commission de la capitale nationale qui considère la partie orientale de l'île de Hull comme un simple prolongement via le nouveau

Pont du Portage, de la prestigieuse et sévère rue Wellington à Ottawa? Ce concept de la CCN est-il déjà un fait accompli?

Le schéma de la CRO aborde par la bande la première question, quand il diagnostique ce qui suit, au sujet du centre-ville de l'île de Hull et du «centre de district» St-Joseph:

> «(. . .)À l'heure actuelle, l'attractivité commerciale de ce centre n'est pas encore assurée et on éprouve certaines difficultés à le doter d'équipements commerciaux d'envergure. (. . .)À cause des nombreux problèmes que suscitent les opérations de réaménagement, le rôle fonctionnel du centre-ville de Hull disparaît graduellement au profit de l'axe St-Joseph; en effet, celui-ci, par sa position stratégique dans l'agglomération hulloise, par les disponibilités de stationnement que l'on y trouve et surtout par son dynamisme interne, diversifie rapidement ses activités économiques en intégrant des équipements urbains de district d'un haut degré de centralité. (. . .) Contrairement à l'image qu'il projette aujourd'hui, ce centre adoptera une forme finale se rapprochant d'une organisation de centre-ville, très dense et compacte. (. . .) De plus, de par sa position stratégique sur le territoire, le centre de district St-Joseph doit devenir un centre de convergence majeur pour les services de transport collectif à destination de toutes les parties de la zone urbaine. À cet effet, la voie ferrée existante doit être conservée pour l'utilisation éventuelle d'un transport rapide en site propre.[84]

À la deuxième question, le schéma semble ménager la chèvre et le chou, comme on a pu le constater par la dernière citation. Enfin, pour ne pas déplaire aux promoteurs de Gatineau et de Lucerne, on aura deux autres gros «centres de district» dans l'agglomération urbaine de Hull. Avec le centre-ville d'Ottawa, cela fait cinq centres commerciaux d'importance et quand les deux futurs ponts prévus sur la rivière des Outaouais — à Gatineau et à Lucerne — seront construits, les habitants de l'agglomération québécoise face à Ottawa, auront sept gros centres commerciaux (St. Lawrence et Bayshore) à portée de leur carte Master Charge ou Chargex: de quoi «économiser» ou . . .crever!

Le schéma de la CRO s'inquiète des conséquences possibles de ces deux ponts prévus, semble-t-il, par la CCN et le Ministère des Transports du Québec. Mais, encore ici, le schéma de la CRO semble escamoter le problème en proposant de retarder la construction de ces deux ponts:

«Il faut retenir aussi que la construction de nouvelles liaisons entre l'Outaouais et la région d'Ottawa aura un impact très important sur l'orientation du développement dans la région. La construction trop hâtive d'un pont à Lucerne ou à Gatineau pourrait compromettre l'émergence du centre de ces districts. De plus, la construction de ces ponts compromettrait la viabilité d'un réseau de transport rapide vers le centre-ville régional.»[85]

En guise de réponse à la troisième question, le schéma de la CRO affirme — avec un humour noir qui semble involontaire — ce qui suit au sujet de la partie orientale de l'île de Hull, déjà «occupée» par les énormes bâtisses du Gouvernement fédéral:

«Le centre-ville régional devra constituer une vivante affirmation de l'identité culturelle de l'Outaouais québécois et offrir une représentation concrète des valeurs culturelles et sociales de la population.

«La présence de l'administration fédérale au centre-ville ne nous apparaît en elle-même nullement bonnes volontés, il s'avère très difficile d'éviter que ne se trouve dans les effectifs fédéraux relocalisés une forte proportion d'éléments anglophones. Conscients du danger que pourrait représenter cette présence anglophone pour le maintien du fait français, nous avons limité à 30,000 le nombre de fonctionnaires fédéraux qui pourraient éventuellement se localiser au centre-ville régional.»[86]

À la vérité, ce schéma d'aménagement du territoire de la CRO est le document urbanistique le plus comique qu'il m'ait été donné d'analyser: je vois d'ici le géant Jos Montferrand ressuscité et garrochant par-dessus la rivière les fonctionnaires anglophones qui dépassent le quota fixé par la CRO!

À propos de géant, le centre-ville régional proposé par le schéma de la CRO pourrait s'appeler «David québécois et Goliath fédéral». En effet, la «répartition des emplois au centre-ville régional pour l'an 2001» (tableau 28), indique 30,000 fonctionnaires fédéraux (anglais, comme langue de travail), 3,500 fonctionnaires non fédéraux (français, comme langue de travail) et 10,000 emplois «bilingues» dans le secteur des Services. De quoi constituer «une vivante affirmation de l'identité culturelle de l'Outaouais québécois».

Avec ou sans l'aide du géant Montferrand, le schéma est confiant et termine ainsi son discours sur son centre-ville régional:

> «Des actions positives devront, par ailleurs, être entreprises afin de maximiser la présence francophone au centre-ville. L'implantation à brève échéance des fonctions administratives de niveau municipal, régional et provincial apparaît dans cette optique comme une priorité régionale. La problématique culturelle milite également en faveur de la localisation au centre-ville des nouveaux locaux de l'Université du Québec et commande l'implantation de grands équipements de loisirs culturels et d'une concentration d'activités récréatives réflétant l'identité française de l'Outaouais québécois».[87]

4.2.4 Une «base motrice fédérale» anglophone

Ce que je trouve invraisemblable dans le schéma d'aménagement du territoire de la CRO, c'est que les trois centres locaux proposés — soit le «centre de district St-Joseph» (existant), le «centre de district de l'Est» (proposé à Gatineau) et le «centre de district de l'Ouest» (proposé à Lucerne-Aylmer) — sont fondés sur l'hypothèse étonnante que d'importants noyaux de la fonction publique fédérale viendront se greffer à ces centres et agiront comme «base motrice» de leur développement commercial.

En consultant les tableaux 32, 34 et 36 du schéma, concernant les prévisions d'emplois en l'an 2001, on constate qu'il y aurait 12,500 fonctionnaires fédéraux travaillant dans le centre St-Joseph, 9,000 dans le centre de l'Est et 8,500 dans celui de l'Ouest, soit un total de 30,000 fonctionnaires fédéraux dont la langue de travail serait l'anglais et qui viendraient s'ajouter aux 30,000 fonctionnaires fédéraux «prévus» dans le «centre-ville régional» de l'île de Hull.

La première réflexion qui vient à l'esprit, c'est que la Communauté régionale de l'Outaouais nous présente un schéma aussi éphémère qu'un château de cartes. En effet, la

CRO, que je sache, n'a aucun contrôle sur la venue et la localisation de fonctionnaires fédéraux dans l'agglomération de Hull. Qui plus est, le Gouvernement fédéral lui-même ne sait pas quel sera d'ici l'an 2001, le taux de croissance et la répartition géographique de ses fonctionnaires dans le territoire d'Ottawa-Hull.

Qu'on se rappelle seulement la mésaventure de la Ville de Hull qui avait démoli des centaines de logements dans l'île de Hull — en face de l'Imprimerie Nationale — dans le but d'inciter le Gouvernement fédéral à y construire des édifices à bureaux. On connaît la suite: l'énorme complexe fédéral de Place du Portage a été construit sur un autre site, ce qui provoqua de nouvelles démolitions de logements dans l'île de Hull.

Le schéma s'inquiète des répercussions que pourraient avoir — sur la viabilité des centres de district de l'Est et de l'Ouest — la construction des deux nouveaux ponts prévus sur la rivière Outaouais, soit le pont à l'Ouest, à la hauteur des Deschênes (Aylmer-Lucerne) et le pont de l'Est, à la hauteur de l'île Kettle (Gatineau).

La stratégie de développement du centre de district de l'Ouest est compliquée: «En l'absence d'une centralité géographique immédiate par rapport à l'espace bâti, le centre de district ne pourra pas dès les premières phases de son développement s'imposer d'emblée comme le lien privilégié d'échanges et de rencontres pour la population locale. (. . .) Le district de l'ouest étant déjà fortement polarisé par les équipements commerciaux d'envergure régionale qui se trouvent à l'ouest de la ville d'Ottawa, l'émergence d'une armature commerciale relativement autonome dans ce district exigera une action concertée de tous les intervenants. (. . .) Enfin, on devra veiller à ce que la construction du pont prévu à la hauteur de Deschênes ne précède pas le développement de la première phase du complexe commercial et n'en compromette pas la réalisation.[88]

On peut se demander si le schéma d'aménagement du territoire de la CRO n'est pas une auberge espagnole, c'est-à-dire qu'on y trouve de quoi satisfaire tous les goûts, grâce à l'agglutination d'un tas de projets antérieurs et lourds de conséquences, que le schéma endosse sans même en discuter le bien-fondé. Après avoir examiné le schéma antérieur de l'OPDQ, de même que des plans directeurs locaux d'urbanisme, on peut se demander s'il y a quelque chose de nouveau dans le schéma-salade de la CRO.

4.2.5 Plan directeur des autoroutes

À propos du périmètre d'urbanisation préférentielle que propose le schéma d'aménagement, on lit:

> «Les diverses projections démographiques de l'an 2001 variant de 315,000 à 495,000 habitants pour l'ensemble du territoire de la CRO, il apparaît donc possible de concentrer au sud de l'autoroute 50 le développement urbain qui s'effectuera entre Aylmer et Templeton au cours des vingt-cinq prochaines années».

Prétendre qu'une autoroute projetée pourra «servir de limite opportune au développement», c'est, croyons-nous, se faire illusion gravement. Et on peut douter du sérieux d'un schéma d'aménagement qui affiche une telle naïveté. En effet, l'expérience a démontré plus souvent qu'autrement, que la construction d'une autoroute en territoire péri-urbain provoque un développement irrésistible des deux côtés de la nouvelle voie de circulation et que les pressions politiques pour ajouter bretelles et échangeurs non prévus au plan originel de la dite autoroute, auront raison de tous les règlements de zonage présents et futurs.

À titre d'exemple de l'effet néfaste des autoroutes en zone péri-urbaine, voyons l'exemple de la région métropolitaine de Montréal, tel que commenté par Francine Dansereau et Marcel Gaudreau:

> «Par rapport aux autres modes de transport, le réseau routier exerce une influence prépondérante sur la forme du développement de la région métropolitaine. En dehors de l'île de Montréal, là où se localise maintenant le gros de la croissance démographique, l'urbanisation s'est propagée aux têtes de ponts, puis s'est allongée le long des routes et autoroutes privinciales pour finalement constituer deux axes majeurs d'expansion. (. . .)
>
> «Au total, neuf autoroutes pénètrent déjà la région métropolitaine en provenance de toutes les directions; c'est ainsi qu'a été élargie par les pouvoirs publics l'aire d'attente de l'expansion urbaine et qu'ont été créés les

potentiels d'urbanisation générateurs d'un accroissement de la valeur de terrain, d'autant plus que la vocation agricole des sols n'a été protégée d'aucune façon».[89]

La Communauté régionale de l'Outaouais n'a de contrôle ni sur le tracé projeté de l'autoroute 50, ni sur la date d'ouverture de la dite autoroute. Quant au plan officiel SPSA-001-77 du schéma d'aménagement de la CRO, il semble impuissant à empêcher l'urbanisation galopante le long de la future autoroute. Le côté Nord (à Gatineau) et le côté Sud (à Aylmer) de la future autoroute 50 sont théoriquement protégés par des «zones d'aménagement différé» ou par des «zones d'utilisation publique». Mais si on lit attentivement les dispositions réglementaires concernant ces deux zones, on se rend compte que la construction résidentielle n'y est pas interdite *per se*.

En effet, dans les zones d'aménagement différé «(...) aucune implantation ne peut être autorisée à moins que le terrain sur lequel doit être érigée chaque construction soit cadastré, que ce terrain soit adjacent à une rue publique et que les services publics d'aqueduc et d'égoût soient établis sur cette rue.»[90] Dans les zones d'utilisation publique, «(...) la construction résidentielle est autorisée à condition que le terrain sur lequel doit être érigée chaque construction soit cadastré, que ce terrain soit adjacent à une rue publique et que les services publics d'aqueduc et d'égoût soient établis sur cette rue.»[90]

Rien, semble-t-il, n'empêche une Municipalité de la CRO de rendre publics des services qui auraient été assumés entièrement par un promoteur, dans l'intention d'y construire subséquemment des habitations et ce, le mois prochain, en pleine zone d'utilisation publique ou d'aménagement différé. Car la venue de l'autoroute donnera à ces habitations une plus-value considérable, ne serait-ce qu'en raccourcissant la distance-temps entre le nouveau «développement» en question et le centre-ville d'Ottawa.
cissant la distance-temps entre le nouveau «développement» en question et le centre-ville d'Ottawa.

Quant aux «zones agricoles» que traversera la future autoroute 50, elles ne pêchent pas par excès d'agriculture. En effet, les dispositions réglementaires des zones agricoles sur le territoire de la CRO, nous informent que «(...) les usages industriels, commerciaux, touristiques et récréatifs compatibles avec l'agriculture peuvent être autorisés, (...)» et que «(...) la construction de résidences unifamiliales isolées est également prévue.»[91]

Décidément, le schéma d'aménagement de la CRO, à force de ménager la chèvre et le chou, ressemble à une auberge espagnole!

4.2.6 Automobile privée versus transport en commun

Avoir un accès commode à son logis, à son lieu de travail, aux différents services communautaires, à la nature et au loisir, voilà un critère important d'habitabilité.

L'automobile particulière confère à son utilisateur une liberté de mouvement incomparable dans la ville et hors de la ville, à la condition d'en avoir les moyens et de ne pas circuler aux heures de pointe. Ce fait indéniable explique la popularité extraordinaire de l'auto qui, pour la moitié des citadins, est devenue un second vêtement, un véritable prolongement de ses membres. Bien des gens se sentiraient déclassés socialement d'être obligés de circuler régulièrement en autobus ou en train de banlieue. Ce qui explique l'incompréhension de beaucoup d'automobilistes face aux déficits croissants du transport en commun, qu'on ose parfois qualifier de transport des pauvres, car les usagers fidèles en sont ceux qui n'ont pas d'autres moyens de transport, donc une clientèle captive qui subit les hausses de tarif, l'inconfort de l'autobus encombré et la lenteur du trajet, parce que les automobilistes paralysent la circulation en occupant aux heures de pointe, trente fois plus d'espace sur la chaussée qu'un seul autobus qui transporte autant de passagers que ces automobiles qui lui barrent la route!

Depuis une vingtaine d'années, nous nous sommes enfoncés dans un cercle vicieux infernal: plus nous construisons de kilomètres d'autoroute et d'échangeurs coûteux, plus le nombre d'autos augmente et plus de nouveaux kilomètres d'autoroutes urbaines et péri-urbaines deviennent nécessaires. Connaissant la capacité fiscale limitée des Québécois, laquelle limite la capacité de dépenser de leurs gouvernements, on comprend aisément que les millions de dollars investis dans les infrastructures routières et les millions dépensés annuellement pour leur entretien, sont autant d'argent qui ne peut être investi dans le transport-en-commun, d'où le déficit annuel de plus en plus spectaculaire de ce mode de transport. Ce que la population ignore ou feint d'ignorer, c'est que le transport automobile est également déficitaire. Voyons un peu quelques statistiques sur le sujet. D'abord, l'augmentation délirante des automobiles au Québec.

Tableau 1

ÉVOLUTION DU NOMBRE DE VÉHICULES IMMATRICULÉS AU QUÉBEC, DE 1910 à 1970

Année	Nombre de véhicules
1910	786
1920	41 562
1930	178 548
1940	235 572
1950	455 200
1960	1 161 599
1970	2 396 212

Source: Rapport du Groupe de travail sur l'urbanisation, Éditeur officiel du Québec, 1976, p. 224.

> «Le Québec n'a pas un comportement original et le nombre des véhicules y croît avec les années: en 1963, il y en avait un par 5.1 personnes, contre un par 2.3 personnes en 1972. Les véhicules automobiles enregistrés au Québec représentent d'ailleurs une proportion croissante des véhicules enregistrés au Canada, soit 22.8 pour cent en 1963 et 26.7 pour cent en 1972»(p.224).

Afin de savoir si l'automobile défraie ses coûts, le Groupe de travail sur l'urbanisation a établi une comptabilisation des recettes et des coûts publics du transport routier.

> «Une méthode simple d'aborder la question de savoir si le secteur public subventionne les services routiers est de comparer la somme des dépenses d'investissement et d'opération pour le réseau routier d'une part, et la somme des taxes spécifiques à ce réseau d'autre part.»
>
> «Qu'est-il permis de conclure de ces estimés d'une comptabilité étroite des recettes et des dépenses des gouvernements pour le réseau routier? Tout d'abord que le secteur routier ne s'autofinance pas; il reçoit au Québec une aide

Tableau 8-8

ESTIMÉS DES RECETTES ET DES COÛTS PUBLICS
DU SYSTÈME ROUTIER, QUÉBEC ET CANADA

		Recettes	Dépenses	Rapport Rec./dép. %
Calculs de Bryan		(en millions de $)		
1955	Québec	99.2	142.5	70
1958		128.5	219.9	59
1961		160.7	202.5	79
1964		229.1	393.4	58
1967		300.7	375.7	80
1968		365.5	381.6	96
Calculs de Dalvi		(en millions de $ 1949)		
1961	Québec	95.13	149.64	63.6
	Canada	389.34	563.17	69.1
1965	Québec	134.81	181.82	74.1
	Canada	492.14	730.20	67.4
Calculs de Haritos		(en millions de $ 1968)		
1968	Québec	372.0	460.7	80.7
	Canada	1 347.	1 876.	71.8

Note: Dalvi fait l'hypothèse que la vie normale d'une route est de 50 ans et Haritos utilise 20 ans. Leurs calculs sont basés sur un prix réel du capital de six pour cent.

Sources: N. Bryan, *More Taxes and More Traffic*, Toronto, Canadian Tax Foundation, 1972, pp. 52, 65, 183 et 184, M.Q. Dalvi, «Highway Costs and Expenditures in Canada», *Revue canadienne d'économique*, vol. II, no 4, nov. 1969, p. 522 et Z. Haritos, *Rational Road Pricing Policies in Canada*, Ottawa, Information Canada, 1973, p. 64.

estimée entre vingt et trente pour cent, aide qui s'ajoute aux coûts de la pollution émise par les différents véhicules. *(. . .)les infrastructures routières sont généralement planifiées en fonction de l'achalandage de pointe et (. . .) se caractérisent habituellement par une sous-utilisation aux autres moments de la journée.»

«La politique actuelle avantage l'automobile aux endroits et moments de la journée où elle est normalement un mode de transport inefficace.»(p.228-230)

4.2.7 Sur le transport en commun

Le transport en commun doit être adapté aux besoins des résidents de l'agglomération linéaire Aylmer — Hull — Gatineau. Ces résidents ont besoin de circuler sur cet axe qui longe les deux centre-ville actuels de Hull, soit la rue Montcalm dans l'île de Hull et le centre commercial du boulevard St-Joseph. Une correspondance à la rue Montcalm permettrait d'atteindre rapidement le centre-ville d'Ottawa par autobus.

Or, l'axe linéaire qui réunit les villes de l'Outaouais québécois est parcouru par une voie ferrée sous-utilisée et dont l'emprise semble suffisamment large pour permettre la construction de deux voies parallèles afin d'accommoder une grande densité de circulation inter-urbaine et intra-urbaine des personnes et des marchandises. En favorisant la concentration de l'habitation et des services à proximité de cet axe ferroviaire, le mode de transport rapide et non polluant qu'est le *train électrique* offrirait une alternative intéressante aux automobilistes qui encombrent les rues et les autoroutes aux heures de pointe.

Il est malheureux de constater que la CRO et la SAO ne semblent pas s'être intéressées sérieusement à cette question des emprises ferroviaires sous-utilisées en plein milieu urbain. En effet, aucune étude approfondie de faisabilité et de coût d'un tel système de transport en commun, n'a été commandée par la CRO ou par la SAO, à ma connaissance. Les études de circulation mentionnées dans le schéma, ne sont qu'une projection des besoins en infrastructure routière, afin de répondre aux besoins d'une croissance incontrôlée des automobilistes. On a parfois l'impression à la lecture du schéma de la CRO, que l'initiative dans le domaine du transport en commun est abandonnée à la CCN, un organisme fédéral dont les dirigeants ne sont pas élus par les citoyens directement intéressés. C'est ainsi que la CCN subventionne la CTCRO avec le résultat que tous — ou presque — les circuits d'autobus de l'agglomération québécoise Aylmer — Hull — Gatineau se promènent dans une grande rue commerciale d'Ottawa, au détriment des commerçants du centre commercial du boulevard St-Joseph à Hull.

Il est également malheureux de constater que le schéma de la CRO ne comporte aucune étude approfondie du réseau actuel des autobus de la CTCRO, afin de proposer des améliorations concrètes et immédiates.

Les études techniques de circulation ont été faites en fonction des besoins anticipés des automobilistes et on trouve l'aveu de cette vérité inquiétante à la page 201 du rapport d'accompagnement du schéma (édition de juin 1977) de la CRO. Ce qui est agaçant dans ce schéma, ce sont les belles paroles intermittentes sur l'importance de sauvegarder l'identité québécoise et d'accorder la priorité au transport en commun; mais on cherche en vain des propositions concrètes et explicites sur ces deux questions primordiales. On a presqu'envie de parodier cette parole de l'Évangile: «Ce *schéma* m'honore des lèvres, mais son coeur est loin de moi».

> «La prévision des déplacements futurs — précise le schéma — permet d'entrevoir un changement d'orientation et une évolution importante par rapport à la situation actuelle. C'est ainsi qu'à l'heure de pointe du matin, en l'an 2001:
>
> «— les déplacements des Québécois à l'intérieur de la Communauté seront quatre fois plus nombreux qu'aujourd'hui, passant de 16,000 à 70,000;
>
> «— les déplacements des Québécois vers l'Ontario demeureront stables, passant de 15,000 à 16,000;
>
> «— les déplacements des Ontariens vers le Québec seront six fois et demie plus nombreux qu'aujourd'hui, passant de 6,000 à 39,000. (. . .)
>
> «Il semble que les besoins futurs des résidents de l'Outaouais québécois exigent de structurer davantage le réseau routier et les transports collectifs à l'intérieur de la Communauté avant de songer à ajouter de nouvelles liaisons interprovinciales.»[92]

Cette conclusion du rapport de la CRO, semble justifier ma proposition d'utiliser l'axe ferroviaire mentionné plus haut, comme colonne vertébrale du réseau de transport en commun à l'intérieur de la Communauté.

Encore une fois, il est malheureux que le plan directeur du transport en commun soit si vague et je cite toujours le rapport de 1977 du schéma de la CRO:

> «À court terme, une amélioration sensible du réseau d'autobus est proposée. À moyen et à long terme, la Commu-

nauté estime que les besoins de la région nécessiteront l'établissement d'un STCI.»[93]

Pour en savoir plus long, le lecteur doit se contenter du croquis théorique ci-dessous, extrait de la page 226 du rapport, et de cette phrase laconique:

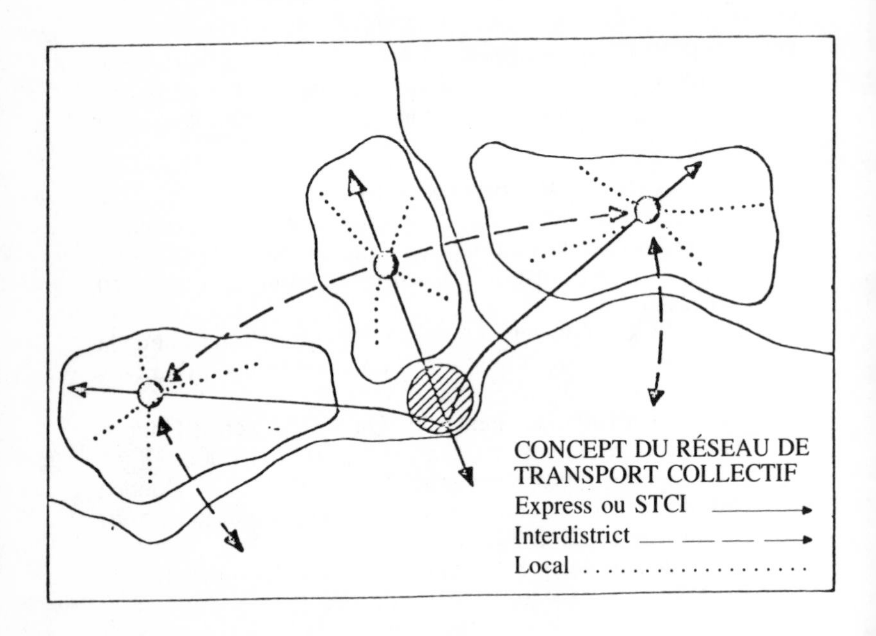

«Le choix final de la localisation des circuits et le choix technologique de STCI devront se faire de concert avec les organismes impliqués à la suite d'études plus détaillées. Cependant, il est recommandé de réserver l'emprise de certaines voies ferrées et d'autres corridors le long de grandes artères qui seraient possiblement utilisées pour le STCI d'ici 2001».[94]

En attendant d'autres «études plus détaillées», les politiciens annoncent d'autres constructions imminentes de tronçons d'autoroutes et d'échangeurs pour ...automobiles.

4.2.8 Unir l'agglomération par le transport en commun?

Ce qui frappe l'observateur de la réalité urbaine outaouaise, c'est l'écartèlement de l'agglomération de Hull en *trois solitudes* fortement polarisées par Ottawa. Pas étonnant alors qu'on réclame à grands cris, tant à Gatineau qu'à Aylmer, la construction de deux nouveaux ponts sur la rivière des Outaouais, afin de se rendre plus vite à Ottawa et d'éviter le fastidieux transit via l'île de Hull.

Tant que les trois villes d'Aylmer, Hull et Gatineau se tourneront le dos, comment peut-on espérer l'émergence d'un «centre-ville régional fort» à Hull? Tant qu'on favorisera une polarisation distincte et accélérée de ces trois villes par Ottawa, comment peut-on espérer une polarisation quelconque par le centre-ville de Hull? Tant que tous les circuits d'autobus (ou presque) de la CTCRO iront se ballader dans le centre-ville d'Ottawa, comment peut-on espérer rapatrier à Hull la clientèle québécoise qui «économise» régulièrement à Ottawa? Tant que la CTCRO acceptera une subvention malencontreuse de la CCN pour faire circuler ses autobus à Ottawa et accepter les «correspondances» des usagers des autobus d'Ottawa (OC-transport), comment pourra-t-on privilégier le centre-ville de Hull et freiner un tant soi peu la polarisation extrême par Ottawa, des «banlieues» d'Aylmer, de Hull et de Gatineau? Comment le schéma de la CRO peut-il se vanter de l'existence d'un génocide culturel unique au monde, quand il écrit:

> «Il est probablement unique en Amérique du Nord, sinon dans le monde entier, qu'entre deux villes sises dans des provinces ou des États différents, il n'y ait pas de tarif supplémentaire à payer pour passer d'un système de transport local à un autre. Nous souhaitons que cet esprit de collaboration se perpétue et s'amplifie, particulièrement quant à la planification et à la construction d'un STCI.»[95]

Pour aménager un centre-ville authentique à Hull, deux conditions nous semblent prioritaires: 1) l'*unification socio-économique* des villes d'Aylmer, de Hull et de Gatineau; 2) une *amélioration radicale* du transport en commun entre ces trois villes.

Or, je soutiens, contrairement aux penseurs de la SAO, que ce lien unificateur existe déjà mais qu'il est ignoré totalement: c'est la foie ferrée de CP-Rail qui réunit le coeur d'Aylmer, de Deschênes, de Val Tétreau, de l'île de Hull, du «centre de district St-Joseph», du futur «centre de district de l'Est», de l'aéroport de Gatineau, de Templeton et de . . .Mirabel — Montréal. L'emprise de cette voie ferrée semble, à première vue, assez large pour y accommoder deux voies électrifiées, ce qui signifie que cette agglomération linéaire de près de 200,000 habitants en 1980, pourrait être desservie par l'équivalent d'un métro à ciel ouvert et ce, à un coût évidemment beaucoup moindre.

D'ailleurs, le schéma de la CRO fait timidement et vaguement allusion à la possibilité d'utiliser les voies ferrées existantes. La discrétion extrême du schéma a-t-elle pour but de ne pas ameuter les spéculateurs ou les partisans maniaques des autoroutes? Toujours est-il qu'on finit par trouver, dans le schéma de la CRO, des indices d'un conflit interne sérieux entre tenants du *statu quo* (c'est-à-dire «l'automyélite» ou maladie des cellules urbaines causée par excès de circulation automobile, par excès d'autoroutes, d'échangeurs, de bretelles et de pollution) et du transport en *commun prioritaire* en milieu urbain (c'est-à-dire, un transport en commun en site propre et qui ne soit pas neutralisé par des autoroutes parallèles). Conflit qui n'est pas exclusif à l'Outaouais, conflit qui a déjà ravagé, hélas! les villes de Québec et de Montréal.

En guise de conclusion provisoire, qu'on me permette une dernière citation du schéma d'aménagement du territoire de la Communauté régionale de l'Outaouais (CRO). Cette citation indique le genre de compromis stérile qui se dessine entre tenants de l'automyélite et du transport en commun, d'une part, et la véritable Tour de Babel administrative qui domine l'Outaouais québécois, d'autre part.

> «Le scénario «C» favorise les transports collectifs de façon déterminante grâce à l'implantation d'un système de transport à capacité intermédiaire (STCI), qui attirerait en 2001 sept fois plus d'usagers aux transports collectifs qu'aujourd'hui. Selon ce scénario, seulement deux nouveaux ponts interprovinciaux seraient nécessaires. (. . .)
>
> «Suite à une évaluation des quatre scénarios, la Communauté considère que le scénario «C» répond le mieux aux objectifs du plan de transport (. . .)

«Une évaluation préliminaire effectuée en consultation avec le Ministère des transports démontre que le coût de réalisation du programme proposé en milieu urbain s'élève à environ 650 à 750 millions en dollars constants de 1976, dont approximativement 450 millions de dollars pour le réseau routier et entre 200 et 300 millions pour le réseau de STCI.

«Ce programme d'immobilisations représente les investissements minima requis pour doter l'agglomération urbaine d'un réseau de transport régional équilibré entre les modes privés et publics. Sans une utilisation importante des transports collectifs, les investissements requis au niveau du réseau routier et des espaces de stationnement seraient de beaucoup supérieurs.

«La planification des transports se situe dans un contexte d'intervention extrêmement complexe. Les municipalités ont juridiction sur le réseau routier local. La Commission de transport de la Communauté régionale de l'Outaouais contrôle les transports collectifs. Le Ministère des Transports s'occupe des autoroutes et des routes provinciales. La Société d'aménagement de l'Outaouais aménage l'aéroport de Templeton. Enfin, le gouvernement fédéral contrôle les chemins de fer et administre les ponts interprovinciaux.

«Vu le manque de concertation entre ces multiples intervenants, certaines appropriations budgétaires ont pu s'avérer inefficaces par le passé. Ainsi, depuis quelques années, on améliore sensiblement l'accès des automobilistes vers le centre-ville régional, alors que précisément des investissements massifs au niveau d'édifices publics reposent sur une forte utilisation des transports collectifs et une politique restrictive de stationnement. Ailleurs, on prévoyait la construction de nouveaux boulevards vers des quartiers dont l'aménagement s'avère maintenant différé pour plus de vingt-cinq ans.»[96]

4.2.9 Conclusion

Ce schéma ne me dit rien qui vaille, à cause de son ambiguïté fondamentale. C'est une sorte de Cheval de Troie assimilateur livré dans un emballage nationaliste. Les propositions du schéma d'aménagement du territoire de la Communauté régionale de l'Outaouais devraient être repensées de fond en comble.

Telles quelles, à mon avis, ces propositions institutionnalisent et consolident la dépendance envers Ottawa: un «centre-ville régional» hullois qui se confond avec la forteresse bureaucratique fédérale anglophone érigée dans la partie orientale de l'île de Hull; des «centres de district», à Aylmer et à Gatineau, reliés à Ottawa par deux nouveaux ponts sur la rivière des Outaouais (il y a déjà cinq ponts automobiles entre Hull et Ottawa) et qui contiennent comme «base motrice» économique, une majorité assimilatrice de fonctionnaires fédéraux unilingues anglophones.

En exagérant un tant soit peu, je dirais que le destin de la Confédération canadienne se joue présentement à Hull et que le schéma d'aménagement du territoire de la CRO se défile devant cette responsabilité fondamentale. En effet, le système fédéral canadien actuel, défendu par l'énorme majorité de la députation québécoise à la Chambre des Communes, ne peut conduire qu'à l'assimilation lente et inéluctable des francophones du Québec, dernier bastion de la francophonie au Canada. Ce processus d'assimilation est quasi-cancéreux à Montréal et à Hull. C'est pourquoi le schéma d'aménagement du territoire de la CRO devrait être prioritairement le schéma d'aménagement *politique* d'une population francophone menacée d'assimilation à moyen terme.

Le peuple francophone hullois qui doit majoritairement «gagner son pain» en anglais, est un peuple aliéné. Or, un plan directeur d'urbanisme et un schéma d'aménagement territorial qui se respectent, ne peuvent accepter, au départ, une telle aliénation linguistique comme «base motrice» de développement.

Que la capitale fédérale du Canada chevauche sur les deux rives de la rivière des Outaouais, c'est normal et conforme à la géographie et au bilinguisme fondamental de la confédération. Mais ce qui est dangereusement anormal, c'est que le Gouvernement fédéral, dans ses bureaux de Hull, ne respecte pas la langue de la majorité des Québécois. En effet, il est inacceptable que, dans la zone québécoise de la capitale du Canada, la langue de travail de l'Administration fédérale soit l'anglais. En Suisse, sauf erreur, quarante pour cent des fonctionnaires de la Confédération helvétique travaillent en français, bien que la minorité francophone en Suisse représente seulement vingt pour cent environ de la population totale de ce pays trilingue. Et ce quarante pour cent des postes administratifs en langue française est garanti, sauf erreur, par la Constitution ou par la tradition. Dans la Fonction publique fédérale à Ottawa, nous n'avons aucune garantie protégeant le français comme langue de travail. Au contraire, nous assistons à cette comédie hypocrite où des fonctionnaires anglophones unilingues occupent des postes dits «bilingues» et reçoivent une prime au bilinguisme! Faut-il conclure que les véritables «séparatistes» au Canada sont les anglophones unilingues qui imposent le bilinguisme aux seuls francophones?

Dans la Fonction publique fédérale à Ottawa-Hull, l'anglais est massivement la langue de travail obligatoire, ce qui veut dire que les Canadiens francophones sont des citoyens de deuxième classe à l'intérieur même de cette Fonction publique.

Quand une partie importante de cette Fonction publique s'installe à Hull et que le schéma de la CRO s'appuie sur cette «base motrice» allogène comme élément majeur de développement urbain, il est de connivence avec l'aggression culturelle subie par la population de Hull. Et quand le même schéma s'affiche comme le défenseur de l'identité québécoise sur le territoire de la CRO, on se pose des questions sur la cohérence et le sérieux d'un tel document.

Bref, ce schéma est ambigü au niveau des objectifs qui m'apparaissent nettement contradictoires. En plus de s'accommoder — c'est-à-dire de démissionner devant l'aggression anglophone — des milliers d'emplois unilingues anglais installés dans le centre-ville de Hull, le schéma prétend conserver les quartiers populaires de l'île de Hull, tout en favorisant la spéculation foncière par un zonage à haute densité. Or, c'est là une dangereuse imposture, car la plus-value du terrain que les spéculateurs ont créée dans l'île de Hull, avec la bénédiction de tous les gouvernements, aura bientôt chassé tous les «économiquement faibles» qui étaient ...la majorité dans cette île détruite par la violence urbaine.

Dans ce schéma, des questions fondamentales ont été escamotées ou laissées sans réponse. Quel est le degré de polarisation de l'agglomération urbaine de Hull sur la région de l'Outaouais québécois? À quelles conditions la ville de Hull peut-elle devenir une capitale régionale? Depuis le bouleversement fédéral de l'île de Hull, y a-t-il encore un centre-ville à

Hull? Les centres commerciaux du boulevard St-Joseph sont-ils l'embryon du nouveau centre-ville? Dans le développement d'un centre-ville authentiquement francophone, le schéma peut-il s'appuyer sur une *base motrice québécoise*? À quelles conditions cette base motrice québécoise peut-elle générer un nombre adéquat d'emplois francophones — équipements collectifs, services et industrie — pour faire de Hull, une capitale régionale authentique et autosuffisante par rapport à Ottawa?

Notes bibliographiques

1. **Douglas H. Fullerton,** *La capitale du Canada: comment l'administrer?* 2 volumes, Ottawa, 1974. Information Canada. Voir le volume 1, pp. 41-49. Monsieur Fullerton est un ancien président de la Commission de la capitale nationale.

2. *Procès-verbaux et témoignages du Comité mixte spécial du Sénat et de la Chambre des Communes sur la Région de la Capitale nationale,* Ottawa, 4 mars 1976, fascicule No 17, pp. 17:129 à 17:143.

3. **Brian Bourns,** «Ottawa Regional Planning: Winners take $300,000,000», in *City Magazine,* Preview, Summer 1974, 35 Britain St., Toronto, M5S 1R7

4. *Procès-verbaux et témoignages du Comité mixte spécial du Sénat et de la Chambre des Communes sur la Région de la Capitale nationale,* Ottawa, 1976, fascicule No 41, 23 juin 1976.

5. **Sarah Jennings,** «Ecological planning rejected», in *City Magazine,* Toronto, 1975, Vol. 1, No. 4.

6. **Jean R. Messier,** «L'Université du Québec en Outaouais», entrevue publiée dans *Le Droit,* quotidien d'Ottawa, 9 juillet 1977. Monsieur Messier est directeur général du Centre d'études universitaires dans l'Ouest québécois (campus de Rouyn et de Hull) de l'Université du Québec.

7. **Philémon Wright,** «Mémoire à l'Assemblée législative du Bas-Canada» sur la fondation de son établissement à Hull. Une traduction française anonyme de ce document passionnant, rédigé en 1825, est reproduite dans la revue *Asticou,* Hull, 1970, Cahier No 5, Société historique de l'Ouest du Québec. À la lecture de ce texte, on découvre le vrai visage des Amérindiens et... des visages pâles. On apprend aussi que les premiers expropriés de l'île de Hull furent les Algonquins et que cette ville a été fondée sous le signe de la violence.

8. **Guillaume Dunn,** «L'Outaouais: histoire d'une rivière», Hull, 1970, revue *Asticou,* Cahier No 5, pp. 5-15, Société historique de l'Ouest du Québec.

   Guillaume Dunn, *Les forts de l'Outaouais,* Montréal, 1975, Éditions du Jour, 162 pages. Une histoire bien illustrée des postes de traite des fourrures de la rivière des Outaouais sous le régime français. Guillaume Dunn, «Fort-Coulonge, site archéologique», Hull, 1976, dans la revue *Asticou,* Cahier No 15, pp. 16-23.

   Guillaume Dunn, *La partie de Baggataoué,* Montréal, 1976, Éditions du Jour. 104 pages. Un conte fantastique qui raconte les moeurs des Amérindiens de la Vallée de l'Outaouais.

9. **Arthur Buies,** *L'Outaouais supérieur,* Québec, 1889. Imp. C. Darveau. 311 pages.

10. **Raoul Blanchard,** *L'Ouest du Canada-français,* Montréal 1954. Beauchemin. 304 pages.

11. **Douglas H. Fullerton,** *La capitale du Canada: comment l'administrer?* Ottawa, 1974, 2 volumes. Information Canada. Voir le chapitre intitulé: «La région de la Capitale nationale: description géographique et démographique; structure des administrations municipales», vol. 1, pp. 24-38.

12. **Jean-Pierre F. St-Amour,** *L'Outaouais québécois, guide de recherche et bibliographie sélective,* Hull, 1978. Université du Québec, Centre d'études universitaires dans l'Ouest québécois.

13. Extraits de *Les problèmes de la région de la capitale canadienne,* Commission d'étude sur l'intégrité du territoire du Québec (Rapport Dorion), Québec, 1968, vol. 6, 2e partie, pp. 337-338.

14. Rapport Dorion, op. cit., vol. 1.2, synthèse, chap. 2.5

15. **Charles Castonguay,** *L'évolution de la situation linguistique dans l'Outaouais,* annexe au Mémoire du Conseil régional de la culture de l'Outaouais à la Commission parlementaire pour l'étude du projet de loi No 1, Québec, 1977

16. *Sandy Hill* ou *Côte de Sable,* un quartier bourgeois d'Ottawa, où les francophones étaient quasi-majoritaires avant la dernière guerre mondiale.

17. Rapport Dorion, op. cit., ch. 2.5, p. 17.

18. Rapport Dorion, op. cit., ch. 2.5, p. 13.

19. Rapport Dorion, op. cit., ch. 2.5, pp. 38-39.

20. Rapport Dorion, op. cit., ch. 2.6, p. 19.

21. Extraits de Claude Morin, *Le pouvoir québécois . . . en négociation,* Québec, 1972, Les Éditions du Boréal Express, pp. 172-175.

22. Ces traits sont tirés de Dominique Achour, *Pratique d'analyse régionale,* vol. ER-2, C.R.I.U., nov. 1974.

23. Extraits de Fernand Martin, *La dynamique du développement urbain au Québec,* annexe du Rapport Castonguay sur l'urbanisation au Québec, 1975, Éditeur officiel du Québec, pp. 77-80.

24. Extraits de *L'Urbanisation au Québec,* rapport du Groupe de travail sur l'urbanisation, présidé par Claude Castonguay, Québec, 1976, Éditeur officiel du Québec, pp. 52 et 335-336.

25. Extraits de P.A. Julien, P. Lamonde, D. Latouche, *Québec 2001, une société refroidie,* Québec, 1976, Les Éditions du Boréal-Express, pp. 104-105.

26. Caroline Andrew, André Blais et Rachel DesRosiers, *Les élites politiques, les bas salariés et la politique du logement à Hull,* Ottawa, 1976. Éditions de l'Université d'Ottawa. Le chapitre 4 de cet ouvrage, qui concerne la rénovation urbaine, a été rédigé par Serge Bordeleau.

27. Ibidem, par **Serge Bordeleau,** pp. 40-41.

28. Ministère de l'Industrie et du Commerce du Québec, *La situation du commerce de détail dans la région outaouaise,* Québec, 1968, p. 80. Cité par Serge Bordeleau, cf. note 26.

29. Serge Bordeleau, p. 43, op. cit. à la note 26.

30. Cité par **Serge Bordeleau,** p. 44, op. cit. à la note 26.

31. Assad Gedey, *Hull, étude de rénovation urbaine,* Hull, 1963, p. 183. Cité par Serge Bordeleau, p. 45, op. cit. à la note 26.

32. Claude Morin, *Le combat québécois,* Montréal, 1963, Les Éditions du Boréal Express. Voici la définition qu'en donne Claude Morin, à la page 41: «L'expression «zones grises» désigne ces domaines de responsabilité gouvernementale qui, d'après la constitution, ne sont pas clairement attribués à un niveau de gouvernement ou à l'autre. Cela est dû en bonne partie au fait que la présente constitution canadienne date de plus d'un siècle et qu'elle ne se prononce donc pas sur des domaines d'action qui n'existaient pas au moment de sa promulgation ou qui ont beaucoup évolué depuis. Dans ce cas, les débats possibles se tranchent par l'interprétation des tribunaux ou par les précédents. «Les «zones grises» sont nombreuses à l'heure actuelle et s'accroissent avec le temps. Elles comprennent les affaires urbaines, la recherche scientifique, les communications, etc. Par extension, peuvent aussi en faire partie certains aspects de la politique sociale, du développement régional, des relations internationales, des transports, etc.»

33. Andrew, Blais, DesRosiers, op. cit.

34. Andrew, Blais, DesRosiers, op. cit. p. 23.

35. Andrew, Blais, DesRosiers, op. cit. pp. 58-60.

36. Andrew, Blais, DesRosiers, op. cit. p. 59.

37. Ce chiffre de 1 713 logements démolis de 1969 à novembre 1976 est une approximation compilée à partir de l'étude de Andrew, Blais, DesRosiers.

38. *Loi de la Société d'habitation du Québec,* Québec, 1971, ch. 55, art. 39.

39. **Liliane Bertrand-Gagnon, Pierre Ménard, Jean-Paul Tremblay et Robert Lajoie,** *Rapport du groupe de travail sur l'orientation de l'Office municipal d'habitation de Hull,* Hull, novembre 1976, pp. 12-13.

40. Ibidem, pp. 9-10.

41. Office de planification et de développement du Québec, *Région de l'Outaouais: état de la situation et perspectives d'aménagement et de développement,* Québec, mars 1976, p. 93.

42. **Douglas H. Fullerton,** *La capitale du Canada: comment l'administrer?* 2 volumes, Ottawa, 1974. Information Canada. Voir le chapitre intitulé: «Les problèmes du bilinguisme — l'assimilation et le ressac anglophone», in vol. 1, pp. 170-174.

43. *Procès-verbaux et témoignages du Comité miste spécial du Sénat et de la Chambre des Communes sur la Région de la capitale nationale,* Ottawa, 8 juin 1976, fascicule No 36, pp. 36:11 à 36:34.

44. Commission de la capitale nationale, *La capitale de demain, une invitation au dialogue,* Ottawa, 1974. 89 pages, ill., bilingue.

45. **Pascal Barrette,** «Bilinguisme à l'Université d'Ottawa», une série de 6 articles parus dans *Le Droit,* quotidien d'Ottawa, du 16 au 21 août 1976.

46. **Meyer Nurenberger,** «The Referendum Debate: WHAT DOES THE FRENCH QUEBECKER WANT? NOTHING MORE THAN IS DUE HIM», in *Maclean's Canada's Newsmagazine,* Toronto, 13 June 1977, vol. 90, No. 12.

47. **Lithwick, N.H.,** *Le Canada urbain: ses problèmes et ses perspectives,* rapport préparé par le Ministre responsable du logement, Ottawa, 1970.

48. **Lithwick, N.H.,** op. cit.

49. **Fullerton, Douglas H.,** *La capitale du Canada: comment l'administrer?* Ottawa, 1974, Information Canada. 2 volumes.

50. **Guy Joron,** *Salaire minimum annuel: $1 million,* ou la course à la folie, Éditions Quinze, Montréal, 1976.

51. **Douglas H. Fullerton,** op. cit.

52. **Douglas H. Fullerton,** op. cit.

53. **Guy Rocher,** *Le Québec en mutation,* Montréal, Éditions Hurtubise HMH, 1973, pp. 113-114.

54. Lettre parue dans le quotidien *Le Devoir,* Montréal, 26 août 1976.

55. **Luc-Normand Tellier,** *Le Québec, État nordique,* Montréal, Éditions Quinze, 1977.

56. «Pourquoi les politiques linguistiques fédérales n'ont-elles pas livré tous les fruits espérés?», un article de **Michel Bilodeau** paru dans *Le Devoir,* Montréal, 26 novembre 1977, p. 5.

57. *Cultiver sa différence,* rapport sur les arts dans la vie franco-ontarienne, par **Pierre Savard, Rhéal Beauchamp** et **Paul Thompson.** Ontario Arts Council, Toronto, 1977.

58. L'essentiel de ce texte inédit fut rédigé en 1976 en vue d'une éventuelle présentation lors des audiences publiques du Comité mixte spécial du Sénat et de la Chambre des Communes sur la région de la capitale nationale. Ce comité n'a pas encore fait rapport, au moment où j'écris ces lignes en mai 1978.

59. *Tomorrow's Capital,* Regional planning concept proposed by the National Capital Commission, 1974, Ottawa, p. 7. Nous citons le texte original à cause de l'imprécision fréquente de la traduction française.

60. **Fullerton,** op. cit., vol. 1, p. 61

61. **N.H. Lithwick,** *Le Canada urbain: ses problèmes et ses perspectives,* rapport préparé pour le Ministre responsable du logement, Ottawa, 1970, p. 227.

62. **Douglas H. Fullerton,** *La capitale du Canada: comment l'administrer?,* op. cit., vol. 1, p. 122.

63. **Carl Doka,** *Les quatre langues nationales de la Suisse,* Pro Helvetia, Service de presse, 1973, Zurich, pp. 7-10.

64. **Guillaume Dunn,** *Les forts de l'Outaouais,* Montréal, 1975, Éditions du Jour.

65. **Guillaume Dunn,** op. cit., pp. 121-123.

66. *Mémoire au Conseil municipal de la Ville de Hull,* 1977, Office municipal d'habitation, Hull.

67. **Raymonde Gauthier,** *Les manoirs du Québec,* 1976, Éditeur officiel du Québec et Fides, 245 pages, plans et illustrations.

68. *Manoir Papineau,* op. cit.

69. Deux articles remarquables de Roger LeMoine parus dans la *Revue d'histoire de l'Amérique française,* Montréal, vol. 25, no 3, décembre 1971, pp. 309-336 et dans la revue *Asticou,* Hull, septembre 1972, pp. 2-12.

70. Communauté régionale de l'Outaouais, *Schéma d'aménagement du territoire,* Hull, Édition de mai 1976, p. 11.

71. **CRO,** Schéma de 1976, op. cit., p. 19.

72. **CRO,** Schéma de 1976, op. cit., p. 21.

73. En collaboration, *Le Québec face à l'aménagement régional,* Journées d'étude de la Fédération québécoise pour l'habitation, l'urbanisme, l'aménagement et le développement des territoires, Montréal, 1967, p. 141.

74. *Le Québec face à l'aménagement régional,* op. cit., p. 137.

75. Ibidem, pp. 140-141.

76. Ibidem, p. 58.

77. Office de planification et de développement du Québec, *Quelques éléments de réflexion sur la région administrative de l'Outaouais,* texte dactylographié de 32 pages, Québec, 18 mai 1974, pp. 15 et 19.

78. *Le Québec face à l'aménagement régional,* op. cit., p. 183.

79. **CRO,** *Schéma d'aménagement du territoire,* Hull, Édition de mai 1976, p. 23.

80. **CRO,** op. cit., p. 23.

81. **CRO,** op. cit., p. 47.

82. **CRO,** op. cit., p. 49.

83. **CRO,** op. cit., p. 49.

84. **CRO,** op. cit., pp. 53, 58, 60.

85. **CRO,** op. cit., p. 84.

86. **CRO,** op. cit., pp. 54-55.

87. **CRO,** op. cit., p. 55.

88. **CRO,** op. cit., p. 69

89. **Francine Dansereau et Marcel Gaudreau,** *Commerce du sol et promoteurs à Montréal,* texte dactylographié de 45 pages, INRS-Urbanisation, Montréal, avril 1976.

90. **CRO,** *Schéma d'aménagement du territoire,* Hull, Édition de juin 1977, Plan SPSA-001-77 (Règlement 127)

91. **CRO,** op. cit.

92. **CRO,** op. cit., p. 201.

93. **CRO,** op. cit., p. 225.

94. CRO, op. cit., p. 237.

95. CRO, op. cit., p. 85. STCI veut dire «système de transport à capacité intermédiaire», c'est-à-dire un transport en commun en site propre, autre qu'un métro.

96. CRO, op. cit., pp. 252-253.

INDEX

P

Q

R

S

T

U

V

W

Achevé d'imprimer
en juin, 1979, pour
Éditions du Pélican
sur les presses lithographiques
de l'Imprimerie Marquis
à Montmagny.